新完全マスター

日本語能力試験

N2

友松悦子・福島佐知・中村かおり 著

スリーエーネットワーク

Published by 3A Corporation.
Trusty Kojimachi Bldg., 2F, 4, Kojimachi 3-Chome, Chiyoda-ku, Tokyo 102-0083, Japan

ISBN978-4-88319-565-7 C0081

First published 2011
Printed in Japan

はじめに

　日本語能力試験は、1984 年に始まった、日本語を母語としない人の日本語能力を測定し認定する試験です。受験者が年々増加し、現在では世界でも大規模の外国語の試験の一つとなっています。試験開始から 20 年以上経過する間に、学習者が多様化し、日本語学習の目的も変化してきました。そのため、2010 年に新しい「日本語能力試験」として内容が大きく変わりました。新しい試験では知識だけでなく、実際に運用できる日本語能力が問われます。本書はこの試験の N 2 レベルの問題集として作成されたものです。

　まず「問題紹介」で、問題の形式とその解法を概観します。次に「実力養成編」で、三つの問題形式別に、必要な言語知識を身につけるための学習をします。最後に「模擬試験」で、実際の試験と同じ形式の問題を解いてみることによって、どのくらい力がついたかを確認します。

■本書の特徴
　①旧出題基準２級を参考に、N ２レベルで必要だと思われるものを網羅
　②文法形式の全体を概観できるように、主観を含む度合いによって大きく
　　三つに分類
　③やみくもに暗記するのではなく、効率的に整理して学習することを示唆
　④丁寧な解説と豊富な練習問題（小説、エッセイ等多様な文章から作成）
　　で「文章の文法」を充実

　言語を必要とする課題を遂行するためには、言いたいことが伝わる文を、そして、意味のあるまとまりを持った文章を作るための文法的知識が必要です。私たちは日ごろの授業で、試験のためだけではなく、実際の言語生活で役に立つような文法学習はどうあるべきかを考え続けてきました。本書が日本語能力試験の受験に役立つと同時に、日本語を使って学習・生活・仕事をする際にも役立つことを願っています。

　本書を作成するにあたり、第一出版部の田中綾子さん、佐野智子さんには鋭いご指摘とご助言を頂きました上、原稿を丁寧に見ていただきました。心よりお礼申し上げます。

2011 年 6 月　著者

目次

はじめに

本書をお使いになる方へ ix

問題紹介

Ⅰ　文の文法1（文法形式の判断）...............2

Ⅱ　文の文法2（文の組み立て） 3

Ⅲ　文章の文法 4

実力養成編

第1部　文の文法1

Ⅰ　ことがらを説明する☆

1課　〜とき・〜直後に 8

　1．〜際（に）

　2．〜に際して・〜にあたって

　3．〜たとたん（に）

　4．〜（か）と思うと・〜（か）と思ったら

　5．〜か〜ないかのうちに

2課　〜している（進行中） 12

　1．〜最中だ

　2．〜うちに

　3．〜ばかりだ・〜一方だ

　4．〜（よ）うとしている

　5．〜つつある

　6．〜つつ

3課　〜後で 16

　1．〜てはじめて

　2．〜上（で）

　3．〜次第

4．〜て以来・〜てこのかた

5．〜てからでないと・〜てからでなければ

4課　範囲の始まりと終わり・その間 20

　1．〜をはじめ（として）

　2．〜からして

　3．〜にわたって

　4．〜を通じて・〜を通して

　5．〜限り

　6．〜だけ

5課　〜だけ 24

　1．〜に限り

　2．〜限り（は）

　3．〜限りでは

　4．〜に限って

問題（1課〜5課）...28

6課　〜だけではなく・それに加えて 30

　1．〜に限らず

　2．〜のみならず

　3．〜ばかりか

　4．〜はもとより

　5．〜上（に）

7課　〜について・〜を相手にして 34

　1．〜に関して

　2．〜をめぐって

　3．〜にかけては

　4．〜に対して

5．〜にこたえて

8課 〜を基準にして 38
1．〜をもとに(して)
2．〜に基づいて
3．〜に沿って
4．〜のもとで・〜のもとに
5．〜向けだ

9課 〜に関連して・〜に対応して 42
1．〜につれて・〜にしたがって
2．〜に伴って・〜とともに
3．〜次第だ
4．〜に応じて
5．〜につけて

10課 〜や〜など 46
1．〜やら〜やら
2．〜というか〜というか
3．〜にしても〜にしても・
　　〜にしろ〜にしろ・〜にせよ〜にせよ
4．〜といった

問題(1課〜10課) 50

Ⅱ 主観を含めて説明する☆☆

11課 〜に関係なく・無視して 52
1．〜を問わず
2．〜にかかわりなく・〜にかかわらず
3．〜もかまわず

4．〜はともかく(として)
5．〜はさておき

12課 強く否定する・強く否定しない ... 56
1．〜わけがない
2．〜どころではない・〜どころか
3．〜ものか
4．〜わけではない・〜というわけではない
5．〜というものではない・
　　〜というものでもない

13課 〜(話題)は 60
1．〜とは
2．〜といえば
3．〜というと・〜といえば・〜といったら
4．〜(のこと)となると
5．〜といったら

14課 〜けれど 64
1．〜にもかかわらず
2．〜ものの・〜とはいうものの
3．〜ながら(も)
4．〜つつ(も)
5．〜といっても
6．〜からといって

15課 もしそうなら・たとえそうでも ... 68
1．〜としたら・〜とすれば・〜とすると・
　　〜となったら・〜となれば・〜となると
2．〜ものなら
3．〜(よ)うものなら

4．〜ないことには

5．〜を抜ぬきにしては

6．〜としても・〜にしても・〜にしろ・

〜にせよ

問題もんだい(1課か〜15課か).................................72

16課か　〜だから(理由りゆう) −1.....................74

1．〜によって

2．〜ものだから・〜もので・〜もの

3．〜おかげだ／〜せいだ

4．〜あまり・あまりの〜に

5．〜につき

17課か　〜だから(理由りゆう) −2.....................78

1．〜ことだし

2．〜のことだから

3．〜だけに

4．〜ばかりに

5．〜からには・〜以上いじょう(は)・〜上うえは

18課か　〜できない・困難こんなんだ・〜できる ... 82

1．〜がたい

2．〜わけにはいかない・

〜わけにもいかない

3．〜かねる

4．〜ようがない

5．〜どころではない

6．〜得うる／〜得えない

19課か　〜を見みて評価ひょうかすると・

〜の立場たちばで評価ひょうかすると.................86

1．〜わりに(は)

2．〜にしては

3．〜だけ(のことは)ある

4．〜として

5．〜にとって

6．〜にしたら〜・〜にすれば・

〜にしてみれば・〜にしても

20課か　結果けっかはどうなったか 90

1．〜たところ

2．〜きり

3．〜あげく

4．〜末すえ(に)

5．〜ところだった

6．〜ずじまいだ

問題もんだい(1課か〜20課か).................................94

21課か　強つよく言いう・軽かるく言いう 96

1．〜ぐらい・〜くらい

2．〜など・〜なんか・〜なんて

3．〜まで・〜までして・〜てまで

4．〜として〜ない

5．〜さえ

6．〜てでも

Ⅲ　主観を述べる☆☆☆

22課　〜だろうと思う........................ 100
1．〜とみえる
2．〜かねない
3．〜おそれがある
4．〜まい／〜ではあるまいか
5．〜に違いない・〜に相違ない
6．〜にきまっている

23課　感想を言う・主張する............... 104
1．〜ものだ
2．〜というものだ
3．〜にすぎない
4．〜にほかならない
5．〜に越したことはない
6．〜しかない・〜よりほかない
7．〜べきだ／〜べきではない

24課　提案する・意志を表す............... 108
1．〜（よ）うではないか
2．〜ことだ
3．〜ものだ／〜ものではない
4．〜ことはない
5．〜まい／〜（よ）うか〜まいか
6．〜ものか

25課　強くそう感じる・
**　　　思いが強いられる**...................... 112
1．〜てしかたがない・〜てしょうがない・
　　〜てたまらない

2．〜てならない
3．〜ないではいられない・
　　〜ずにはいられない
4．〜ないわけに（は）いかない
5．〜ざるを得ない

26課　願う・感動する........................ 116
1．〜たいものだ・〜てほしいものだ
2．〜ものだ
3．〜ないもの（だろう）か
4．〜ものがある
5．〜ことだ
6．〜ことだろう・〜ことか

問題（1課〜26課）................................ 120

Ⅳ　文法形式の整理

A　元の言葉に着目 122
B　「言う・する」を使った言い方.......... 124
C　古い言葉を使った言い方.................. 126
D　「もの・こと」を使った言い方.......... 128
E　「わけ・ところ」を使った言い方....... 132
F　二つの言葉を組にする言い方・
　　助詞 134
G　文法的性質の整理........................... 136

第2部　文の文法2

1課　文の組み立て−1
　　　決まった形 140

2課　文の組み立て−2
　　　名詞を説明する形式 142

3課　文の組み立て−3
　　　「〜ない」がつく文法形式 146

第3部　文章の文法

1課　始めと終わりが正しく
　　　対応した文 150

2課　時制 154

3課　条件を表す文 158

4課　視点を動かさない手段−1
　　　動詞の使い方、
　　　自動詞・他動詞の使い分け 162

5課　視点を動かさない手段−2

　　　「〜てくる・〜ていく」
　　　の使い分け 166

6課　視点を動かさない手段−3
　　　受身・使役・使役受身
　　　の使い分け 170

7課　視点を動かさない手段−4

　　　「〜てあげる・〜てもらう・
　　　〜てくれる」の使い分け 174

8課　指示表現「こ・そ・あ」
　　　の使い分け 178

9課　「は・が」の使い分け 182

10課　接続表現 186

11課　省略・繰り返し・言い換え 190

12課　文体の一貫性 194

模擬試験

第1回 200

第2回 204

索引 208

別冊　解答

本書をお使いになる方へ

■本書の目的

本書は以下の2点を大きな目的としています。

①日本語能力試験Ｎ２対策：Ｎ２の試験に合格できる力をつける。

②「文法」能力の向上：試験対策にとどまらない全般的な「文法」の力をつける。

■日本語能力試験Ｎ２文法問題とは

日本語能力試験Ｎ２は、「言語知識・読解」（試験時間105分）と「聴解」（試験時間50分）の二つ
に分かれており、文法問題は「言語知識・読解」の一部です。

文法問題はさらに以下の三つの部分に分かれます。

    Ⅰ   文の文法1（文法形式の判断）

    Ⅱ   文の文法2（文の組み立て）

    Ⅲ   文章の文法

■本書の構成

本書は、以下のような構成になっています。

問題紹介

実力養成編 第1部 文の文法1

    Ⅰ   ことがらを説明する☆

    Ⅱ   主観を含めて説明する☆☆

    Ⅲ   主観を述べる☆☆☆

    Ⅳ   文法形式の整理

    第2部 文の文法2

    第3部 文章の文法

模擬試験

以下に詳細を説明します。

問題紹介   試験の概要と形式別の簡単な解法を知り、全体像をつかんでから学習を始めます。

実力養成編 第1部 文の文法1

Ｎ２レベルの文法形式を意味機能別に学習します。どんな文脈でどのように使う
か、どんな文法的性質を持っているか、どのように整理して覚えるのが効率的か
などを例文と解説を通して学びます。各課に確認の練習問題（a〜cの中から最
も良いものを選ぶ）があります。また、5課ごとに学習した課までの確認問題が

あります。

第2部　文の文法2

文を組み立てるために必要な知識を学習します。決まった接続のし方をする文法
形式、決まった言葉と一緒に使われる文法形式、名詞を説明するときの決まった
形などの観点から整理して学習します。

第3部　文章の文法

視点を統一したり接続表現や指示表現などの助けを借りたりすることで、文章は
意味のあるまとまりを持ちます。このような文章にまとまりを持たせるための方
法を学習します。

模擬試験　実際の試験と同じ形式の問題です。N3のレベルも含め、実力養成編で学習した
広い範囲から問題を作ってありますから、総合的にどのぐらい力がついたかを確
認することができます。

■ 凡例

文を作るときは、それぞれの文型に合うように前に来る語の形を整えなければなりません。
本書では接続の形を次のように表示しました。

品詞	接続する形	例
動詞	動 ない形	会ってみない　＋ことには（第1部15課）
	動 ~~ない~~	買わ　＋ずにはいられない（第1部25課）
	動 ~~ます~~	わかり　＋次第（第1部3課）
	動 辞書形	行く　＋ことはない（第1部24課）
	動 う・よう形	しよう　＋ものなら（第1部15課）
	動 て形	見て　＋以来（第1部3課）
	動 た形	飲んだ　＋とたん(に)（第1部1課）
	動 ている形	している　＋最中だ（第1部2課）
イ形容詞	イ形 い	明るい　＋うちに（第1部2課）
	イ形 くて	痛くて　＋しかたがない（第1部25課）
ナ形容詞	ナ形	不安　＋ながら(も)（第1部14課）
	ナ形 ~~だ~~ －な	正直な　＋ものか（第1部12課）
	ナ形 ~~だ~~ －である	簡単である　＋に越したことはない（第1部23課）
	ナ形 －で	心配で　＋たまらない（第1部25課）

名詞	名 –の	学生の　＋うちに (第1部2課)
	名~~だ~~–である	親である　＋限り(は) (第1部5課)
	名~~する~~ (注)	経済の回復　＋とともに (第1部9課)
その他	普通形	好きではない・連休だ　＋からといって (第1部14課) 成功した　＋とはいうものの (第1部14課)

(注) 名~~する~~：名詞に「する」がつく動詞(回復する、普及するなど)の名詞部分　回復、普及

接続のし方は次のように表示しました。

例1 「〜にもかかわらず」(第1部14課)

> 🖇 名 ・普通形 (ナ形~~だ~~–である・名~~だ~~–である)　＋にもかかわらず

①名詞 に接続します。(名詞 に直接接続します。)
　例・悪天候にもかかわらず、工事の人たちは作業を続けている。
②普通形に接続します。
　例・問題が難しかったにもかかわらず、受験生の成績は昨年より良かった。
　・村田選手は途中で足を痛めたにもかかわらず、最後まで走り通した。
③ただし、ナ形容詞 と名詞 の現在肯定形は「〜だ」の形ではなく、「〜である」の形に接続します。
　例・父は出勤時間が不規則であるにもかかわらず、いつも同じ時間に起きる。
　・石井氏は議長であるにもかかわらず、会議に欠席した。

例2 「〜ものか」(第1部12課)

> 🖇 普通形 (ナ形~~だ~~–な・名~~だ~~–な)　＋ものか

①普通形に接続します。
　例・こんな不便なところに住めるものか。
　・こんな初級の問題、難しいものか。
②ただし、ナ形容詞 と名詞 の現在肯定形は「〜だ」の形ではなく、「〜な」の形にして接続します。
　例・あの人が正直なものか。
　・わたしが努力家なもんですか。

＊ナ形容詞 と名詞 の現在肯定形の「〜だ」を省略することがある場合は、(だ)で示してあります。

＊本書では、あまり使われない接続のし方は載せていません。

■解説で使われている記号と言葉

⇒ ：意味機能やどんな使い方をするかなどの説明

🔗：接続のし方

⚠：文法的性質などの解説

硬い言い方：日常の場面ではなく、公式の場で使う言い方

話し言葉：文書ではなく、主に会話に表れる言い方

〈書き言葉〉：会話ではなく、主に文書に表れる言い方

→第14課-④：「同じ形の文法形式が14課の④にあります」という意味

⚠の中の次の言葉は文法的な性質を学習する上での大切な言葉です。

働きかけの文：

「～てください・～ましょう・～ませんか」など、話者が相手に何かをするように言う文

話者の希望・意向を表す文：

「～たい・～（よ）うと思う・～つもりだ」など、話者があることをする気持ちを持っていることを表す文

■表記

基本的に常用漢字(1981 年 10 月内閣告示)にあるものは漢字表記にしました。ただし、著者の判断でひらがな表記の方が良いと思われるものは例外としてひらがな表記にしてあります。例文は、このレベルで必要と思われる漢字に振り仮名を振りました。解説部分はすべての漢字に振り仮名を振っています。「文章の文法」の問題は、原典に従って振り仮名を振っています。

■学習時間

1 課あたりの学習時間の目安は以下の通りです。ただし、丁寧にゆっくり進むかスピードアップするかによって時間数を加減することはできるでしょう。

第 1 部 1 課～26 課	1 課につき	50 分授業 × 2 コマ
第 1 部A～G	1 課につき	50 分授業 × 1 コマ
第 2 部	1 課につき	50 分授業 × 1 コマ
第 3 部	1 課につき	50 分授業 × 2 コマ

問題紹介

<ruby>日本語能力試験<rt>に ほん ご のうりょく し けん</rt></ruby>の「<ruby>文法<rt>ぶんぽう</rt></ruby>」では

 I <ruby>文<rt>ぶん</rt></ruby>の<ruby>文法<rt>ぶんぽう</rt></ruby>1（<ruby>文法形式<rt>ぶんぽうけいしき</rt></ruby>の<ruby>判断<rt>はんだん</rt></ruby>）

 II <ruby>文<rt>ぶん</rt></ruby>の<ruby>文法<rt>ぶんぽう</rt></ruby>2（<ruby>文<rt>ぶん</rt></ruby>の<ruby>組<rt>く</rt></ruby>み<ruby>立<rt>た</rt></ruby>て）

 III <ruby>文章<rt>ぶんしょう</rt></ruby>の<ruby>文法<rt>ぶんぽう</rt></ruby>

の<ruby>三<rt>みっ</rt></ruby>つの<ruby>形式<rt>けいしき</rt></ruby>の<ruby>問題<rt>もんだい</rt></ruby>が<ruby>出題<rt>しゅつだい</rt></ruby>されます。それぞれの<ruby>問題形式<rt>もんだいけいしき</rt></ruby>の<ruby>特徴<rt>とくちょう</rt></ruby>を<ruby>見<rt>み</rt></ruby>て

いきましょう。

文の文法１（文法形式の判断）

文の意味を考え、それに合う文法形式を判断する問題です。

問題のタイプは、

・文の内容に合う文法形式を選ぶ問題【例題１】

・文の内容に合う使い方をしているものを選ぶ問題【例題２】

があります。例題を見てみましょう。

次の文の（　　　）に入れるのに最もよいものを、１・２・３・４から一つ選びなさい。

【例題１】

　どんなに難しいことでも、練習している（　　　）上手になっていくものだ。

　　１　ばかり　　　　　　２　ために　　　　　３　うちに　　　　　４　ように

【例題２】

　職場の近くにいい歯医者はないかと探していたところ、（　　　　）。

　　１　林さんに聞いてみた　　　　　　　　２　林さんが紹介してくれた

　　３　林さんなら知っているかもしれない　４　林さんが知っているそうだ

【例題１】では、（　　　）の前後のことがら（「練習している」と「上手になっていく」）の関係を考えます。「〜ている」という状態を表す動詞の形につき、「〜なっていく」という変化を表す文が後に来る文法形式であることが大切です。正しい答えは「３　うちに」です。

【例題２】の文法形式「〜たところ」は、「〜してみたら、ある結果になった」ことを表します。１度だけの過去の出来事について言う文です。正しい答えは「２　林さんが紹介してくれた」です。

このタイプの問題では、文法形式の意味機能や接続の形、文法的性質とともに、文の内容が

・未来の予測なのか、１度だけの過去の出来事なのか、または続いている状態なのか

・話し手の主観を述べているのか、ことがらを説明しているのか

などを考える必要があります。一つの文法形式ではなく、文法形式が組み合わさった形で出題されることもあります。

この部分については「実力養成編　第１部　文の文法１」で詳しく学習します。

複数の語句を並べ替えて、文法的に正しく、意味の通る文を作る問題です。四つの選択肢のうち★の位置に当たるものがどれかを選びます（★の位置は、３番目以外のこともあります。）。例題を見てみましょう。

次の文の __★__ に入る最もよいものを、１・２・３・４から一つ選びなさい。

【例題３】

今回は ＿＿＿＿ ＿＿＿＿ __★__ ＿＿＿＿ 調査します。

　　　１　利用者の満足度　　２　新しいサービス　　３　について　　　　４　に対する

【例題４】

新しいゲームを前の晩から ＿＿＿＿ ＿＿＿＿ __★__ ＿＿＿＿ 人の気持ちは、わたしにはわからない。

　　　１　並んで　　　　　　２　とする　　　　　３　買おう　　　　　４　まで

　【例題３】では「～について」「～に対する」という文法形式を手がかりに、その前後にどんな言葉が来るかを考えます。「～について」の後には動詞が来るので、４番目とわかります。その前には名詞の１か２が来ます。一方「～に対する」は前後に名詞が来るので、２番目とわかります。１番目と３番目がどちらの名詞になるかは文の意味を考えて判断します。論理的な文は「今回は新しいサービスに対する利用者の満足度について調査します」なので、★に当たるのは、「１　利用者の満足度」です。

　【例題４】で重要なのは「まで」の位置です。この形式の前には動詞の「て形」の１と辞書形の２のどちらも来る可能性があります。「とする」の前には動詞の「う・よう形」が来ます。ここで文の意味を考えると「新しいゲームを前の晩から並んでまで買おうとする人の気持ちは、わたしにはわからない」が適切なので、★に当たるのは、「３　買おう」です。

　このように、このタイプの問題では「実力養成編　第１部　文の文法１」で学ぶ表現の意味機能はもちろん、

・その文法形式につく品詞
・接続の形

などの知識が重要です。

　この部分については「実力養成編　第２部　文の文法２」で詳しく学習します。

Ⅲ 文章の文法

まとまった長さの文章の中で、その文脈に合う文法形式などを選ぶ問題です。
・文法的に正しい文にするにはどうすればいいかを文章の中で判断する問題
・文章としてのまとまりを持たせるにはどうすればいいかを判断する問題
があります。例題を見てみましょう。

【例題5】 次の文章を読んで、文章全体の内容を考えて、[1]から[5]の中に入る最もよいものを1・2・3・4から一つ選びなさい。

　よく、「自分が本当にやりたいことをみつけなければならない」と、あたかもそれが[1]必ずみつかるもののように語られ、プレッシャーを感じる人も多いと思いますが、私はそれがみつかるかどうかは、極端にいって「運」しだいだと思います。だから、今現在、[2]からといって、焦ることも、自己嫌悪に陥ることもありません。

　[3]、「運」しだいだからといって、みつけるための努力をしなくてよいということではありません。いろいろなことに興味をもち、やりたいことをみつけようと[4]、この場合、どこかに当たりクジがあることを信じて、あきらめずにクジを引き続けることに似ています。クジは引いたからといって必ず当たるわけではありませんが、引かないクジが当たることはない[5]。

（長岡靖仁「偶然のきっかけを生かして」『なぜ私はこの仕事を選んだのか』岩波ジュニア新書による）

1
1　努力していないと　　　　　　　2　努力しなければ
3　努力したから　　　　　　　　　4　努力すれば

2
1　それがみつかっている　　　　　2　それがみつかっていない
3　それをみつける　　　　　　　　4　それをみつけない

3
1　そのため　　　2　また　　　3　ただ　　　4　たとえば

4
1　努力することは　　　　　　　　2　努力することで
3　努力すれば　　　　　　　　　　4　努力して

5
1　ほどです　　　2　ことです　　　3　からです　　　4　ところです

【例題5】の 1 は、「自分が本当にやりたいことをみつけなければならない」という考え方と「 1 必ずみつかる」という考え方が共通すると考えると、「4　努力すれば」が正しい答えになります。2 は、他動詞と自動詞の選択が重要になる問題です。ここでは結果に注目するので自動詞「みつかる」を使います。さらに「～からといって…」「～こともない」という文法形式を手がかりにして適切な内容を考えると、「2　それがみつかっていない」が正しい答えになります。3 は、それ以前の部分との内容のつながりを考え、適切な接続表現を選ぶ問題です。前の段落の内容から想像されることを修正しているので、正しい答えは「3　ただ」です。4 は文末との正しい対応を問う問題です。文末の「～に似ています」の主語が必要です。ですから「1　努力することは」が答えとなります。5 はこの文が前の文（自分の考え）の理由を述べていると考えられるので、「3　からです」が答えになります。

この問題形式で問われる文脈における文法の使い方とは、例えば次のようなものです。
・ある表現と一緒に使われる表現がわかる

例　この薬を飲めば病気が治るかというと、 { 必ずしも治るとは限らない。 / × きっと治るに違いない。 }

・その文脈での条件に合う形式がわかる

例　もし実験に失敗したら、 { そのとき / × このとき } は別の方法を考えよう。

・その文脈での書き手の表現意図に合う形式がわかる

例　熱がある。しかし、今日の会議には { 出席しないわけにはいかない。 / × 出席するわけにはいかない。 }

・その文脈に合う視点を選ぶことができる

例　{ 友人にこれは常識的な考えではないと注意された。 / × 友人がこれは常識的な考えではないと注意した。 } なるほどそうかと思った。

・文と文のつながりを正しく判断することができる

例　あの人はわたしの母の弟だ。 { つまり / × それから } わたしのおじに当たる。

　これらの項目については「実力養成編　第3部　文章の文法」で詳しく学習します。

実力養成編

第1部　文の文法1

　文法形式の意味と用法を知ることは、言いたいことを正確に伝える文を作るための基本です。また、ある文章を読んで正確に理解するためにも役に立ちます。その文法形式を使って意味の通る文を作るためには、意味だけでなく、どんな語、どんな活用形に結びつくのか、また、文を作るときにどんな規則を守らなければならないかなどについて学習する必要があります。

OCCASION MOMENT *IMMEDIATELY; FOLLOWING*

〔復習〕・母は新聞を読むとき、眼鏡をかけます。

・窓を開けるとすぐに、涼しい風が入ってきた。

際 さい – ON THE OCCASION OF; CIRCUMSTANCES

1 〜際(に) → IN CASE OF; AT THIS TIME; AT THAT TIME

⇒〜とき [硬い言い方] RECEIVE

①この整理券は、商品受け取りの際、必要です。
NUMBERED TICKET

matter; item; facts

②こちらの会議室をご利用になる際は、受付で必要事項をご記入ください。 *entry; filling in of forms*
CONFERENCE ROOM   RECEPTION

③アメリカの大統領は来日した際に、わたしたちの大学でスピーチを行った。
ARRIVAL IN JAPAN

🔖 名 -の・動 辞書形/た形 +際(に)
ACT; CONDUCT   REPRESENT + TO SIGNIFY + EXPRESS   BOARDING

⚠ 主に行為や出来事を表す動詞(使う・完成するなど)・名詞(搭乗・外出など)につく。 ATTACH
MAINLY (HAPPENING) EVENT + INCIDENT   COMPLETE + PERFECTION   going out
公的な場面などで多く使い、日常の普通のことにはあまり使わない。
SCENE; SETTING   USUALLY; REGULAR
PUBLIC; OFFICIAL

2 〜に際して・〜にあたって → AT THE TIME OF

ON THE OCCASION OF; AT THE TIME OF

⇒〜するとき [硬い言い方]

①工事関係者は工事を始めるに際して、近所の住民にあいさつをして回った。
OFFICIALS

②当ショッピングサイトのご利用に際して、以下のご利用条件をよくお読みください。

③新しく事業を始めるにあたって、しっかりと準備をしようと思っております。

④お二人の門出にあたりまして、お祝いの言葉を申し上げます。

⑤日本で国際会議を開催するにあたり、関係各方面からの協力を得た。

🔖 名 ・動 辞書形 +に際して・にあたって

⚠ その場1回だけの、意志的で特別な時を表す言葉(結婚・店を開くなど)につく。後には、主に行為
を表す文が来る。「〜にあたって」は、より積極的な行動を表す言葉につき、マイナスイメージの
言葉(別れ・入院・倒産など)にはつかない。

3 ～たとたん（に）

⇒～したら、直後に意外なことが起こる。

①山の頂上でワインを一口飲んだとたんに、めまいがした。

②夫は結婚前は優しかったが、結婚したとたんに、態度が変わった。

③国の母に電話をかけた。母の声を聞いたとたん、涙があふれてきた。

④僕が「さよなら」と言ったとたん、彼女は走っていってしまった。

🔖 動 た形　＋とたん（に）

⚠ 瞬間的な動きや変化を表す動詞（立ち上がる・変わるなど）につく。後の文は意外性のある内容。話者の希望・意向を表す文（～ようなど）や働きかけの文（～ませんか・～なさいなど）は来ない。

4 ～（か）と思うと・～（か）と思ったら

⇒～の後、すぐに続いて次の出来事や大きな変化が起こる。

①林さんは部屋に入ってきたかと思うと、いきなり窓を全部開けた。

②赤ちゃんは今泣いたと思うと、もう笑っている。

③やっと部屋が片付いたかと思ったら、子供たちがすぐまた散らかした。

④このごろは気温の差が大きい。昨日は暑くなったかと思ったら、今日は涼しい。

🔖 動 た形　＋（か）と思うと・（か）と思ったら

⚠ 話者の行為については使わない。後の文は少し意外性のある内容。話者の希望・意向を表す文や働きかけの文は来ない。

5 ～か～ないかのうちに

⇒～が終わると同時に、次のことが起こる。

①一郎はベッドに横になるかならないかのうちに、ぐっすり眠ってしまった。

②わたしは夜が明けたか明けないかのうちに家を出て、空港へ向かった。

③あの作家は今売れっ子だ。話題作を発表したかしないかのうちに、もう次の作品に取りかかっているそうだ。

🔖 動 辞書形/た形　＋か＋動 ない形　＋かのうちに

⚠ 瞬間的な動きや変化を表す動詞（着く・終わるなど）につく。後には、話者の意向を表す文や働きかけの文は来ない。「～（か）と思うと・～（か）と思ったら」より、「ほとんど同時に」という気持ちが強い。

1

1 （　　　）際に、家の中で修理をするところがあるかどうか調べておく必要がある。
  a いい天気の   b 大掃除の   c 時間がある

2 （　　　）際、音が出る電子辞書は大変便利です。
  a 発音が難しい   b 発音がわからない   c 発音を調べる

3 （　　　）際は、こちらのテーブルをお使いいただけます。
  a お食事の   b ご飯を食べる   c お一人様の

4 （　　　）際は、以下のことに注意してください。
  a 毎日学校へ行く   b 寮での生活の   c 健康診断を受ける

5 地震の際は、（　　　）。
  a 慌てずに行動しなければならない   b 慌てちゃだめ   c 慌てていない

2

1 父は（　　　）に際して、医者にいろいろ質問した。
  a 病気が回復する   b 手術を受ける   c 毎日病院へ行く

2 研修旅行に際して、（　　　）。
  a 体調が良くなかった   b 天候が気がかりだった   c 説明会が開かれた

3 （　　　）にあたって、必要な書類を準備した。
  a 出勤する   b 留学する   c 図書館へ行く

4 新しいオフィスへの移転にあたりまして、（　　　）。
  a 気持ちも新しくなりました   b 非常にうれしいです
  c 一言ごあいさつ申し上げます

3

1 （　　　）とたん、眠くなった。
  a 勉強が終わった   b 勉強をした   c 勉強をしていた

2 （　　　）とたんに、気分が悪くなってしまった。
  a ゴールに向かっていた   b ゴールに近くなった   c ゴールインした

3 彼女はわたしの顔を見たとたんに、（　　　）。
  a 泣き出した   b あいさつした   c うれしそうだった

4 電車が駅に着いたとたん、（　　　）。
  a 友達に電話をしよう   b 乗客が大勢乗り込んできた
  c 乗りかえのホームに行った

4

1 （　　　　）車から降りたかと思うと、海に向かって走り出した。
　　a わたしは　　　　　　　　b わたしたちは　　　　　　　c あの子は

2 さっきまで大雨が降っていたかと思うと、今は（　　　　）。
　　a 雨は弱くなった　　　　　b 太陽が出ている　　　　　c 雨はさらに激しくなった

3 7時の時報が鳴ったかと思うと、（　　　　）。
　　a ニュースが始まる　　　　b 時計のベルも鳴っていた　　c 彼は突然立ち上がった

4 サッカーの試合が始まったかと思うと、テレビの前に（　　　　）。
　　a 人が大勢集まってきた　　b 集まろうよ　　　　　　　c 座っていいですか

5

1 弟は、やっと見つけた就職先なのに、（　　　　）のうちに、もう辞めてしまった。
　　a 仕事を覚えたか覚えないか　b 働いているかいないか　　c 友達がいるかいないか

2 あの学生は、試験が始まって（　　　　）のうちに、教室を出ていった。
　　a よく考えたか考えないか　b 10分たったかたたないか　c 頑張ったか頑張らないか

3 雨がやんだかやまないかのうちに、（　　　　）。
　　a せみが鳴き出した　　　　b 試合を再開しよう　　　　c 出発したい

4 森さんは部長の話が終わるか終わらないかのうちに、会議室の方へ（　　　　）。
　　a 走っていってください　　b 走っていった　　　　　　c 走っていったほうがいい

1〜5

1 一つの問題が（　　　　）、すぐ次の問題を渡された。
　　a 終わった際に　　　　　　b 終わるにあたって　　　　c 終わったかと思うと

2 やっと来たバスに（　　　　）、忘れ物に気がついた。
　　a 乗った際に　　　　　　　b 乗るにあたって　　　　　c 乗ったとたん

3 テニスコートをお使いになる（　　　　）、事務所でロッカーのかぎをお受け取りください。
　　a 際は　　　　　　　　　　b にあたって　　　　　　　c かならないかのうちに

4 選挙に（　　　　）、大勢の方に協力を依頼した。
　　a 出るにあたって　　　　　b 出たとたんに　　　　　　c 出たかと思うと

2課 〜している（進行中）

〔復習〕 ・今、新幹線の時間を調べているところだから、もうちょっと待って。

・留守の間にだれか来たようだ。玄関に花が置いてある。

1 〜最中だ

⇒ちょうど〜しているところだ。

①田中さんは今考えごとをしている最中だから、じゃましないほうがいい。

②浜辺でバーベキューをやっている最中に、急に雨が降り出した。

③スピーチの最中に、突然電気が消えた。

🔖 名 –の・動 ている形　＋最中だ

⚠️ 比較的短い時間内で行う動作を表す言葉（試験・書いているなど）につく。「〜最中に」の後には、「それをじゃまするような予定外のことが起こった」という意味の文が来ることが多い。

2 〜うちに

A⇒時間の制限があって、〜でなくなった後では実現が難しいから、その前にしてしまう。

①家事は、子供が眠っているうちに、全部やってしまった。

②忘れないうちに、カレンダーにメモしておこう。

③足が丈夫なうちに、ヒマラヤ登山を計画したい。

④学生のうちに車の運転免許を取ろうと思っています。

🔖 名 –の・動 辞書形/ている/ない形・イ形 い・ナ形 な　＋うちに

⚠️ 時間の幅のある言葉につく。後には、意志的な動作を表す動詞の文が来る。

B⇒〜している間に変化が現れる。

⑤インターネットで調べているうちに、いろいろなことがわかってきた。

⑥この携帯電話は、長い間使っているうちに、もう自分の体の一部のようになった。

⑦知らないうちに、雨が降り始めていた。

🔖 動 辞書形/ている形/ない形　＋うちに

⚠️ 時間の幅のある言葉につく。後には、意志の入らない文・変化を表す文が来る。

3 〜ばかりだ・〜一方だ

⇒〜という一方方向に変化が進んでいく。

①このごろは仕事が多くて残業が増えるばかりだ。

②東京の交通機関は複雑になるばかりで、わたしはよくわからなくなってきた。

③一度問題が起きてから、彼との人間関係は悪くなる一方だ。

④牛や豚の病気が広がる一方なので、国中の人が心配している。

🔗 動 辞書形　＋ばかりだ・一方だ

⚠ 変化を表す動詞 (増える・悪くなるなど) につく。「〜ばかりだ」は特に良くない方向に進んでいるという場合が多い。

4　～(よ)うとしている

⇒～という変化が起こる少し前だ・もうすぐ～する。 硬い言い方

①さあ、決勝戦が今、始まろうとしています。みんな緊張しています。

②駅前に30階建ての高級マンションが完成しようとしている。

③桜が満開になろうとしているとき、雪が降った。

🔗 動 う・よう形　＋としている

⚠ 瞬間的なことを表す動詞 (始まる・幕が開くなど) につく。

5　～つつある

⇒～という変化が進行中だ。 硬い言い方

①次第に暖かくなりつつあります。春はもうすぐです。

②この会社は現在発展しつつあり、将来が期待される。

③明治時代の初め、日本は急速に近代化しつつあった。

🔗 動 ます　＋つつある

⚠ 変化を表す動詞 (暖かくなる・広がるなど) につく。

6　～つつ

→14課-4

⇒～ながら、あることをする。 硬い言い方

①この空き地をどうするかについては、住民と話し合いつつ、計画を立てていきたい。

②将来の仕事のこと、お金のことなどを考えつつ、進路を選ばなければならない。

③いろいろな体験を楽しみつつ、日本の生活に慣れていった。

🔗 動 ます　＋つつ

⚠ 時間の幅のある行為を表す動詞 (考えるなど) につく。「～つつ」の前後の文は同じ主語。

1

1 弟のことを家族で（　　　）最中^{さいちゅう}に、本人^{ほんにん}が帰ってきた。

  a 話す　　　　　　　　　　b 話している　　　　　　　c 話して

2 （　　　）最中に、何度も電話がかかってきた。

  a 日本に1年間留学^{りゅうがく}している　b 調^{しら}べものをしている　　　c 会社^{つと}に勤めている

3 （　　　）最中に、水道が止まってしまった。

  a 洗濯^{せんたく}の　　　　　　　b 買い物の　　　　　　　　c 出張^{しゅっちょう}の

4 ホームパーティーの準備^{じゅんび}をしている最中に、（　　　　）。

  a 地震^{じしん}があった　　　　　b とても楽しかった　　　　c デザートも作った

5 面接^{めんせつ}を受けている最中に、（　　　）。

  a とても自信^{じしん}を持った　　　b 面接官^{めんせつかん}に褒^ほめられた

  c 携帯電話^{けいたい}が鳴^なってしまった

2

1 アイスクリームが（　　　）うちに食べなければ……。

  a 溶^とける　　　　　　　　b 溶けている　　　　　　　c 溶けない

2 山道^{やまみち}を（　　　）うちに汗^{あせ}が出てきた。

  a 歩いていた　　　　　　　b 歩いた　　　　　　　　　c 歩いている

3 （　　　）うちに欲しい物を買っておこう。

  a お金がある　　　　　　　b 給料^{きゅうりょう}をもらう　　　　c お金が残^{のこ}る

4 この料理、熱^{あつ}いうちに（　　　）。

  a おいしいですよ　　　　　b 召^めし上^あがってください　　c いい香^{かお}りがします

5 わたしはサッカーのルールがよくわからなかったんですが、テレビで試合を見ているうちに

  （　　　）。

  a とても楽しかったです　　b おもしろいと思いました　　c わかってきました

3

1 交通費^{こうつうひ}は（　　　）一方^{いっぽう}だ。

  a 値上^{ねあ}がりする　　　　　b 値上がりしている　　　　c 値上がりした

2 これからは（　　　）一方だから、風邪^{かぜ}を引^ひかないようにね。

  a 寒^{さむ}い　　　　　　　　　b 寒くなる　　　　　　　　c 寒さの

3 祖父^{そふ}は今年80歳^{さい}。病気をしてから、体力^{たいりょく}が（　　　）ばかりです。

  a ある　　　　　　　　　　b つく　　　　　　　　　　c なくなる

4

1 わたしが牛小屋に入ったとき、牛の赤ちゃんが（　　　）としていた。
　a 生まれる　　　　　　　　b 生まれそう　　　　　　　c 生まれよう

2 （　　　）としています。
　a 間もなく夏が終わろう　　b 今日は雨が降ろう　　　　c 今年の冬は寒くなろう

5

1 就職して３か月。仕事にも（　　　）つつある。
　a 慣れ　　　　　　　　　　b 慣れてい　　　　　　　　c 慣れるようになり

2 【手紙】わたしは（　　　）つつありますので、どうぞご安心ください。
　a 就職活動をし　　　　　　b 体力を取り戻し　　　　　c 栄養のあるものを食べ

6

1 結婚式のことは彼女とよく相談しつつ、（　　　）。
　a 結局別れた　　　　　　　b 決めていきたいと思う　　c やっと決まった

2 （　　　）つつ、いろいろなことを思い出した。
　a ボートをこぎ　　　　　　b ソファに座り　　　　　　c 電車に乗り

3 （　　　）たばこを吸わないでよ。
　a 歩いて　　　　　　　　　b 歩きつつ　　　　　　　　c 歩きながら

1〜6

1 わたしが生きている（　　　）、わたしの土地を売ってしまいたい。
　a 最中に　　　　　　　　　b うちに　　　　　　　　　c 間

2 野球の練習を（　　　）、体調が悪くなってしまった。
　a している最中に　　　　　b しつつあるとき　　　　　c しつつ

3 薬を飲んだが、症状はひどくなる（　　　）。
　a 最中だ　　　　　　　　　b ばかりだ　　　　　　　　c ところだ

4 足のけがも（　　　）、今度の試合には出られると思う。
　a 良くなるばかりで　　　　b 良くなりつつ　　　　　　c 良くなりつつあるので

5 会議が（　　　）、リンさんが慌てて入ってきた。
　a 始まるうちに　　　　　　b 始まっている最中に　　　c 始まろうとしているとき

6 飛行機は今（　　　）。
　a 飛び立とうとしています　b 飛び立ちつつあります　c 飛び立つ最中です

3課 〜後で

〔復習〕　・白いコートを買った後で、わたしは後悔した。

　　　　　・水泳を始めてから、その後ずっと体調がいい。

---

1 〜てはじめて

⇒〜を経験した後や、〜という状態になった後で、今までになかったことが起こる。

①実際に現地の様子を見てはじめて、今回の地震のひどさを知った。

②相手の話の途中で話を始めるくせがあると、人に言われてはじめて気がついた。

③山田先生の指導を受けてはじめて、生物の観察が面白いと思うようになった。

④チャンスがあってはじめて、才能が生きてくるのではないだろうか。

✍ 動 て形　＋はじめて

⚠ 後には、「新しいことが起こる・気がつく・実現する」という意味の文が来る。

---

2 〜上(で) 　　　　　　　　　　　　　　　　　　　　　　　　→6課-5

⇒準備としてまず〜してから、その後で次に続く行動をする。

①文書が保存されていることを確かめた上で、パソコンをシャットダウンしてください。

②経済的なことをよく考えた上で、進路を決める必要がある。

③自分一人では決められませんので、家族と相談した上で、お返事をいたします。

④この列車には特急券が必要です。あらかじめ特急券をお買い求めの上、ご乗車ください。

✍ 動 た形　＋上で

　　名 –の　＋上(で)

⚠ 前後の文は同じ主語。後には、前の動作の結果から続く、意志的な行為を表す文が来る。名詞につく場合は④のように「〜上」となることもあり、「〜上で」よりも改まった言い方になる。「〜てから」と同様、前後の行動が当然の順序で起こる場合は使わない。

3 ～次第

⇒～が実現した後、すぐに続けてある行動をする。 硬い言い方

①詳しいことがわかり次第、ご連絡いたします。

②定員になり次第、締め切らせていただきます。

③会場の準備ができ次第、ご案内いたします。もうしばらくお待ちください。

🔖 動 <del>ます</del> ＋次第

⚠ 時間が来れば当然そうなるとわかっていることが実現した瞬間を表す言葉につく。後には、話者の希望・意向を表す文や働きかけの文が来る。

4 ～て以来・～てこのかた

⇒～してから今まで、ずっと同じ状態が続いている。

①1年前にけがをして以来、体の調子がどうも良くない。

②あの山の写真を見て以来、いつかは登ってみたいとずっと思い続けてきた。

③子供が生まれて以来、外で酒を飲んでいない。

④日本から帰国してこのかた、毎日日本のことを思い出している。

⑤母がいなくなってこのかた、母のことを考えない日はない。

🔖 動 て形 ＋以来・このかた

⚠ 過去のある時点を表す言葉につくが、あまり近い過去からの期間には使わない。後には、「ずっと今まで続いている」という意味の文が来る。未来のことを言う文は来ない。

5 ～てからでないと・～てからでなければ

⇒～した後でなければ、あることが実現しない。

①この果物は赤くなってからでないと、酸っぱくて食べられません。

②もっと情報を集めてからでないと、その話が本当かどうか判断できない。

③この電車は車内の清掃が済んでからでないと、ご乗車になれません。

④退院したばかりなんですから、十分に体力がついてからでなければ、運動は無理ですよ。

🔖 動 て形 ＋からでないと・からでなければ

⚠ 後には、否定的な意味の文が来る。

1

1 （　　　）はじめて、犬のかわいさがわかった。

a 犬を飼って　　　　　　　b 犬が小さくて　　　　　　c 犬がいなくて

2 学校を卒業してはじめて、（　　　）。

a 勉強の大切さを知った　　b 親から独立しよう　　　　c うれしかった

3 営業の仕事を経験してはじめて、（　　　）。

a とても大変だった　　　　b 働く厳しさがわかった　　c 会社をすぐ辞めた

4 親になってはじめて、（　　　）。

a 忙しかった　　　b どうしたらいいかわからなかった　　c 子育ての難しさを感じた

2

1 この書類をよく読み、はんこを（　　　）上で、提出してください。

a 押す　　　　　　　　　　b 押して　　　　　　　　　c 押した

2 一緒に料理を（　　　）食べませんか。

a 作って　　　　　　　　　b 作ってから　　　　　　　c 作った上で

3 この薬は、（　　　）上でお飲みください。

a 食事が終わった　　　　　b 医師が説明した　　　　　c 説明書をよく読んだ

4 いくらぐらいかかるか（　　　）上で、修理をお願いするかどうか決めます。

a お知らせいただいた　　　b お知らせくださった　　　c お知らせしてあげた

5 新幹線の切符は、ホテルの予約をした上で（　　　）。

a 買うことができた　　　　b 買うことにした　　　　　c 買えることになった

3

1 全員（　　　）次第、出発します。

a 集まる　　　　　　　　　b 集まり　　　　　　　　　c 集まって

2 （　　　）次第、すぐお知らせください。

a 事故が起こり　　　　　　b 体調が悪くなり　　　　　c 現地からメールが届き

3 （　　　）次第、帰国して就職するつもりだ。

a 入学試験に失敗し　　　　b 留学し　　　　　　　　　c 留学期間が終わり

4 資料は、読み終わり次第、受付に（　　　）。

a お返しください　　　　　b 返しました　　　　　　　c 返していません

5 会議が終わり次第、会議室の掃除を（　　　）。

a しなくてもいいです　　　b 始めます　　　　　　　　c しました

4

1　父は（　　　　）以来、ずっと何か悩んでいるようだ。
　a　家に帰ってきて　　　　　　b　食事が終わって　　　　　　c　新しい職場に移って

2　わたしはこの町に引っ越してきて以来、（　　　　）。
　a　前に住んでいた町のスーパーには行っていない　　　b　一度この町のスーパーに行った
　c　しばらくこの町のスーパーには行かなかった

3　兄がアメリカへ行ってこのかた、わたしが母の相談相手に（　　　　）。
　a　なるつもりだ　　　　　　b　なっている　　　　　　c　なるだろう

5

1　（　　　　）からでないと、新しい事業に取りかかれない。
　a　車の運転ができて　　　　b　いいアイディアがあって　　c　お金の準備ができて

2　この家を買うかどうかは、家族でよく話し合ってからでなければ（　　　　）。
　a　1週間後にお返事します　　b　お返事を待ってください　　c　お返事できません

3　会長の山田さんが来てからでないと、（　　　　）。
　a　寂しい感じがする　　　　b　話し合いが始められない　　c　わたしが司会をする

1〜5

1　家族と（　　　　）、引っ越し先を決めようと思います。
　a　相談してはじめて　　　　b　相談した上で　　　　　　c　相談してからこのかた

2　一度駅で（　　　　）、彼の姿を見ていない。
　a　会って以来　　　　　　　b　会った上で　　　　　　　c　会ってからでなければ

3　マンションを買うときは実際に（　　　　）、心配だ。
　a　見た上で　　　　　　　　b　見て以来　　　　　　　　c　見てからでないと

4　彼と（　　　　）、彼の大切さに気づいた。
　a　別れてはじめて　　　　　b　別れ次第　　　　　　　　c　別れて以来

5　この会議が（　　　　）、作業を始めなければならない。
　a　終わってからでないと　　b　終わってはじめて　　　　c　終わり次第

4課 範囲の始まりと終わり・その間

〔復習〕 ・今日は夕方から夜にかけて小雨が降るそうだ。
　　　　・スポーツ大会は今日で終わりです。

1 ～をはじめ（として）

⇒～が代表例で、そのほかにもいろいろある。 硬い言い方

① この体育館では水泳をはじめ、いろいろなスポーツが楽しめる。

② 日本には「桃太郎」をはじめとして、おじいさん、おばあさんが出てくる昔話が多い。

③ このあたりには、市役所をはじめとする市の公共の建物が多い。

　✑ 名 ＋をはじめ（として）

　　 名 ＋をはじめとする＋名

　⚠ いろいろある中の代表的なものを取り上げる。後には、その代表的なものを含めた複数のものを表す言葉が来る。

2 ～からして

⇒～という例一つを取ってもそうなのだから、全体的にももちろんそうだ。

① この旅行の計画には無理がある。出発時間からして早すぎる。

② わたしはどうも猫が苦手だ。あの光る目からして何となく怖い感じがする。

③ わたしと夫とは似ているところが少ない。第一、食べ物の好みからして正反対だ。

④ さすがプロの選手は走り方からしてわたしたちとは違う。

　✑ 名 ＋からして

　⚠ 問題の本質や重要なポイントでないことを例として取り上げる。後には、マイナス評価の文が来ることが多い。

3 ～にわたって

⇒～の範囲全体にその状態が広がっている。

① 連休の最終日、高速道路は20キロにわたって渋滞が続いた。

② 彼はいろいろなジャンルにわたり、たくさんの本を読んでいる。

③ 3日間にわたる研究発表大会が、無事終了しました。

　✑ 名 ＋にわたって

　　 名 ＋にわたる＋名

　⚠ 場所・時間・回数・範囲など、幅が大きいことを表す語につく。

4 ～を通じて・～を通して

A⇒～の期間ずっと同じ状態だ。

①この町には四季を通じて観光客が訪れる。

②在職期間を通して皆様には大変お世話になりました。

③この10年間を通し、彼はいつも新しいことに挑戦していた。

🔗 名 ＋を通じて・を通して

⚠ 比較的長い期間を表す語につく。後には、継続していることを表す文が来る。

B⇒～を手段にして、あることをする。

④今日では、インターネットを通じて世界中の情報が手に入る。

⑤わたしたちは、ボランティア活動を通していろいろな国の人たちと交流を深めている。

🔗 名 ＋を通じて・を通して

⚠ 直接的・具体的手段ではなく、間に入るものにつく。

5 ～限り　　　　　　　　　　　　　　　　　　→5課-2

⇒～の範囲は全部あることをする・ある状態だ。

①環境を守るためにわたしもできる限りのことをしたい。

②君が知っている限りのことを全部わたしに話してほしい。

③あしたはいよいよ試合だ。力の限り頑張ろう。

🔗 名 −の・動 辞書形/ている形　＋限り

⚠ 動詞につく場合は、ている形や可能動詞などにつくことが多い。

6 ～だけ

⇒～の範囲の限界まであることをする。

①ここにあるダンボールを、車に積めるだけ積んで持って帰ってください。

②父は働くだけ働いて、定年前に退職してしまった。

③今日は部長に言いたいだけの不満を全部言って、すっきりした。

④バイキング形式の食事ですから、好きなものを好きなだけ取ってお召し上がりください。

🔗 動 辞書形　＋だけ

⚠ 可能動詞につくことが多い。瞬間的なことを表す動詞にはつかない。前後に同じ動詞を繰り返すことが多い。そのほか、「～たい・欲しい・好きな・必要な」などにもつく。

1 （　　　　）をはじめ、日本の大きい都市には外国からの観光客も多い。

   a 仙台   b 東京   c 名古屋

2 校長先生をはじめ、（　　　　）には大変お世話になりました。

   a 学校の先生たち   b 佐藤先生   c 事務室の人たち

3 オーストラリアではコアラをはじめ、（　　　　）がいろいろ見られる。

   a 珍しい動物   b カンガルーなど   c 多くの鳥

2

1 あのレストランは、（　　　　）からしてわたしは好きになれなかった。

   a 料理   b 食器の色   c 味

2 君は選手になるのはまだ無理だなあ。ボールの投げ方からして（　　　　）。

   a 練習が足りない   b 練習をしっかりやろう   c 練習をやり直せ

3 息子は30歳にもなるのに話し方からして（　　　　）。

   a おもしろい   b 少しうまくなった   c まだ子供っぽい

4 この服は（　　　　）、色からしてどうもわたしには合いそうもない。

   a サイズもデザインも満足だが   b 気に入っているのだが   c デザインはもちろん

3

1 （　　　　）にわたってこの町には観光客が大勢来た。

   a 5月   b 5月の連休   c 1週間

2 （　　　　）にわたって花が多い。

   a うちの庭   b 駅前   c この県全体

3 日本全国にわたって（　　　　）。

   a 富士山が一番高い   b 数多くの国立公園がある   c 四つの大きな島がある

4 うちでは親子2代にわたって（　　　　）。

   a 魚屋をやっている   b 魚屋を開いた   c 魚屋を閉じた

4

1 この高齢者施設では、（　　　　）を通じていろいろ楽しいイベントが行われる。

   a 四季   b 今年   c 3時間

2 （　　　　）を通じて、現地のコンサートの入場券を予約しておいた。

   a 英語   b 電話   c 旅行会社

3 リンさんはこの1年を通して（　　　）。
　a 一度も遅刻しなかった　　　b 時々遅刻した　　　c 一度だけ遅刻した

4 子供たちが書いた作文を通して（　　　）。
　a 授業計画を立てた　　　b 子供社会の現状を知った　　　c 非常に感動した

5

1 高山さんは、（　　　）限り自分の戦争体験を伝えていきたいと語った。
　a 命の　　　　　　　b 命に　　　　　　　c 命

2 わたしが（　　　）限りのことはもうみんな話した。後は自分で判断しなさい。
　a ニュースを見た　　　b 知っている　　　c カメラで撮った

3 映画が好きなので、時間とお金が（　　　）限り見に行っている。
　a 許す　　　　　　　b 許せる　　　　　　　c 許した

6

1 文房具が必要な場合は、この棚から（　　　）だけ取って使ってください。
　a 必要　　　　　　　b 必要だ　　　　　　　c 必要な

2 両手に（　　　）だけのみかんをもらって帰った。
　a 持つ　　　　　　　b 持てる　　　　　　　c 持てた

3 家事はわたしがやっておくから、（　　　）だけ寝ていてもいいよ。
　a 疲れた　　　　　　b 好きな　　　　　　　c 眠い

1〜6

1 ご両親（　　　）家族の皆さんによろしくお伝えください。
　a をはじめ　　　　　b からして　　　　　c を通じて

2 彼は着ているもの（　　　）人とは違う。ちょっと変わった人だ。
　a をはじめ　　　　　b にわたって　　　　c からして

3 全科目（　　　）彼は成績がいい。
　a をはじめ　　　　　b にわたって　　　　c の限り

4 スミスさんは在日期間（　　　）環境保護キャンペーンに一生懸命だった。
　a をはじめとして　　　b からして　　　　c を通して

5 考えられる（　　　）考えてみたんですが、いい案が出てきませんでした。
　a ことを通じて　　　　b ことにわたって　　　c 限りのことは

5課 〜だけ

〔復習〕　・母にだけ本当のことを話した。

・わたしはテレビが好きではない。ニュース番組しか見ない。

1 〜に限り

⇒〜だけは特別だ・例外だ。 硬い言い方

①このちらしをご持参のお客様に限り、すべての商品を1割引でお買い求めいただけます。
②欠席理由が正当な場合に限り出席扱いにしますが、それ以外の欠席は認めません。
③この病院は午後6時までですが、急を要する患者さんに限り、時間外でも診察いたします。

✎ 名 ＋に限り

⚠ 公に説明するときの言い方。例外的に扱われるものを表す言葉につく。後には、その例外だけに適用されることを言う文が来る。ふつう、否定の文や働きかけの文は来ない。

2 〜限り（は）
→4課-5

⇒〜の状態が続いている間だけは、同じ状態が続く。

①この町に住んでいる限り、いつでも新鮮な食べ物が手に入る。ここは野菜も魚も豊富だ。
②社長が考え方を変えない限りは、この会社は何も変わらないのではないか。
③足が丈夫な限り、まだまだ山登りが楽しめるだろう。
④親である限りは、子供に対する責任があると思う。

✎ 普通形現在（ナ形 だ→-な/-である・名 だ→-である）　＋限り（は）

⚠ 前にも後にも状態を表す言葉が来る。条件の意味を持つ文なので、後には過去の文は来ない。

3 〜限りでは

⇒情報源の範囲を〜だけにすると、あることが言える。

①今回の調査の限りでは、書類にミスはなかった。
②ちょっと見た限りでは、こちらの商品とあちらの商品では違いがないと思うのですが、どうして値段が違うんですか。
③わたしが知っている限りでは、この近所に花屋はありません。

✎ 名 -の・動 辞書形/た形/ている形　＋限りでは

⚠ 情報を得ることに関係のある言葉（見る・聞く・覚えている・知っている・調査など）につく。後には、ある判断や情報を表す文が来る。

4 ｜ 〜に限（かぎ）って

A⇒〜は普段（ふだん）と違（ちが）っている。

①ふだん酒（さけ）などあまり飲（の）まない彼（かれ）が、今日に限ってかなり飲んだ。何かあったのだろうか。

②わたしはいつもは駅前（えきまえ）で買い物するのだが、その日に限って車で遠（とお）くのスーパーまで行った。

③どうしてあの日に限って別の道を通ろうと思ったのか、思い出せない。

📎 名 ＋に限って

⚠ 後（あと）には、「いつもとは違（ちが）う、特別（とくべつ）だ」という意味（いみ）の文（ぶん）が来（く）る。

B⇒〜のことが、ほかの運（うん）が悪いことと偶然重（ぐうぜんかさ）なる。

④庭（にわ）の手入（てい）れをしようと思っている日に限って雨が降（ふ）る。

⑤今日は大切な用事があったのに、こんな時に限って子供（こども）が熱（ねつ）を出してしまった。

📎 名 ＋に限って

⚠ 後（あと）には、「良（よ）くない状況（じょうきょう）になる」という意味（いみ）の文（ぶん）が来（く）る。全体（ぜんたい）として話者（わしゃ）の不満（ふまん）を表（あらわ）す。

C⇒特別（とくべつ）に信（しん）じている〜だから、悪（わる）いことはないはずだ。

⑥うちの子に限って友達（ともだち）をいじめることはないと思いますが……。とても優（やさ）しい子なんですよ。

⑦あのレストランに限って古い食材（しょくざい）など使うはずはないと思っていたのに……。

📎 名 ＋に限って

⚠ 後（あと）には、「悪（わる）い状況（じょうきょう）にはならないはずだ」という意味（いみ）の否定文（ひていぶん）を使（つか）って、話者（わしゃ）の判断（はんだん）を言（い）う。

1

1 商品の返品・交換は、(　　　　)に限り、お受けしております。
　a お買い求めの方　　　　　　b 未使用の場合　　　　　c 当店のすべての商品

2 この遊園地では(　　　　)に限り、入場料が無料になります。
　a 第4日曜日　　　　　　　　b 月曜日から土曜日　　　c 週末以外

3 お子様に限り、(　　　　)。
　a 子供料金は100円です　　　b ここには入らないでください　c プレゼントがあります

4 成人女性に限り、この会に(　　　　)。
　a 参加することができる　　　b 参加した　　　　　　　c 参加する

5 ここに車を止められるのは、許可をもらっている人(　　　　)です。
　a しか　　　　　　　　　　　b だけ　　　　　　　　　c に限り

2

1 あなたが彼に(　　　　)限り、彼もあなたを許さないだろう。
　a 謝る　　　　　　　　　　　b 謝らない　　　　　　　c 謝っていない

2 (　　　　)限りは、社会のルールに従うべきだ。
　a 社会人である　　　　　　　b 社会人になる　　　　　c 社会人の

3 (　　　　)限り、出勤は無理だ。
　a 熱が出た　　　　　　　　　b 高熱が続く　　　　　　c 熱が38度になった

4 父がこの結婚を許してくれない限り、(　　　　)。
　a 父を説得してください　　　b わたしは家を出るつもりだ　c わたしは結婚できない

5 選手一人一人がチーム全体のことを考えて行動しない限り、このチームは(　　　　)。
　a 強くならない　　　　　　　b 強くなる　　　　　　　c 今度の試合で負ける

3

1 わたしが(　　　　)限りでは、彼は日本に来てから5回引っ越した。
　a 覚える　　　　　　　　　　b 覚えた　　　　　　　　c 覚えている

2 (　　　　)の限りでは、首相の支持率は1年前と変わっていない。
　a ニュース　　　　　　　　　b アンケート調査　　　　c みんなの評判

3 (　　　　)限りでは、あの会社は今、アルバイトを募集していない。
　a メールを書いた　　　　　　b メールで知らせた　　　c インターネットで調べた

4　わたしが知っている限りでは、（　　　）。

　　a　この地方には温泉が３か所しかない　　　　b　この地方の温泉を回ってみたい

　　c　この地方の温泉にわたしは１年に２度来る。

4

1　（　　　）田中さんに限ってそんなミスをするはずがない。

　　a　いつも明るい　　　　　　　b　よく忘れ物をする　　　　c　注意深い

2　水泳の練習は大好きだが、その日に限って（　　　）。

　　a　気が進まなかった　　　　　b　プールで泳いだ　　　　c　特別な練習をした

3　期待されていたあの選手に限って（　　　）なんて思っていなかった。

　　a　優勝する　　　　　　　　　b　こんな失敗をする　　　　c　こんなに上手にできた

4　急いでいるときに限って（　　　）。

　　a　バスがすぐ来る　　　　　　b　バスもタクシーも来ない

　　c　タクシーに乗らないほうがいい

5　僕たちの先生は、どうしても見たいテレビ番組がある日に限って（　　　）。

　　a　たくさん宿題を出す　　　　b　たくさん宿題を出さない　　　c　早く授業を終わらせる

1〜4

1　（　　　）、そんな名前のホテルはこの県にはないようだ。

　　a　インターネットで検索した限りでは　　　b　インターネットでの検索に限り

　　c　インターネットでの検索に限って

2　サッカーの練習はグラウンドで行います。ただし、（　　　）、体育館を使います。

　　a　大雨の場合に限り　　　　　b　大雨の限りでは　　　　c　大雨が降る限り

3　わたしに収入が（　　　）、寄付を続けるつもりだ。

　　a　ある場合に限り　　　　　　b　ある限りでは　　　　c　ある限りは

4　わたしが歩いて（　　　）、この町には子供たちのための安全な遊び場がほとんどない。

　　a　調べた限りでは　　　　　　b　調べたことに限り　　　　c　調べたことに限って

5　（　　　）、オートバイの事故なんか起こすはずはないと思っていたのに……。

　　a　あの子に限り　　　　　　　b　あの子に限って　　　　c　あの子の限りでは

次の文の(　　　　)に入れるのに最もよいものを、1・2・3・4から一つ選びなさい。

1 今日も暑くなりそうだ。朝の(　　　　)、庭仕事をしてしまおう。
　　1　間に　　　　　　　　　　　　　　2　うちに
　　3　最中に　　　　　　　　　　　　　4　ときに

2 家がぐらっと(　　　　)、本箱が倒れた。
　　1　揺れるにあたって　　　　　　　　2　揺れたかと思うと
　　3　揺れているうちに　　　　　　　　4　揺れている最中に

3 このテキストは難しそうだ。漢字の多さ(　　　　)大変そうだ。
　　1　からして　　　　　　　　　　　　2　をはじめ
　　3　に限り　　　　　　　　　　　　　4　にわたって

4 リサイクルの店を(　　　　)、いろいろな方面から話を聞いた。
　　1　開き次第　　　　　　　　　　　　2　開きつつ
　　3　開くにあたって　　　　　　　　　4　開きながら

5 これからはどんどん日が短くなる(　　　　)。
　　1　一方だ　　　　　　　　　　　　　2　ところだ
　　3　最中だ　　　　　　　　　　　　　4　しかない

6 あの子は5、6歩(　　　　)転んでしまった。
　　1　歩いた上で　　　　　　　　　　　2　歩き次第
　　3　歩いた際　　　　　　　　　　　　4　歩いたか歩かないかのうちに

7 母に(　　　　)どうしても本当のことを言わないといけないと思う。
　　1　限り　　　　　　　　　　　　　　2　ばかり
　　3　限って　　　　　　　　　　　　　4　だけは

8 部長のチェックを(　　　　)、積極的に話を進めてもいいよ。
　　1　受けてからだと　　　　　　　　　2　受けてからなら
　　3　受けてからでないと　　　　　　　4　受けてからでないなら

9 自分で家事を（　　　　）、母の気持ちがわかった。

1　やってみはじめ

2　やってみてはじめて

3　やってみたとたん

4　やってみて以来

10 佐藤君、今やっている作業が（　　　　）、山口君の方を手伝ってやってくれ。

1　終われば

2　終わった上で

3　終わり次第

4　終わったかと思えば

11 海の向こうに真っ赤な太陽が（　　　　）。感動的な景色だった。

1　沈もうとしていた

2　沈むばかりだった

3　沈んでいた

4　沈む最中だった

12 なぜかあの日（　　　　）車のエンジンがなかなかかからなかったんです。

1　限り

2　に限って

3　限りで

4　限りでは

13 2年（　　　　）新しい道路の建設工事がやっと終わった。

1　にわたって

2　にわたる

3　を通して

4　を通す

14 今日の面接では、（　　　　）のことはやった。後は運を天に任せよう。

1　やれるばかり

2　やれるところ

3　やれるだけ

4　やれる上

15 最近、失敗（　　　　）しているので気分が晴れない。少し休暇を取ろう。

1　だけ

2　ばかり

3　に限って

4　の限りを

6課 〜だけではなく・それに加えて

〔復習〕 ・この公園では、子供だけでなく大人も楽しむことができる。

　　　　・わたしは音楽を聞くのが好きなばかりでなく、自分でも作曲します。

　　　　・わたしは犬や猫はもちろん虫や魚も好きです。動物は何でも好きです。

1　〜に限らず

⇒範囲は〜だけでなく、さらに広い範囲のものも含む。

①この記念館は、休日に限らず一年中入館者が多い。

②うちに限らず近所の住民はみんな夜中のバイクの音に悩まされている。

③近年、地方の町に限らず大都会でも書店の閉店が相次いでいる。

🖊 名 ＋に限らず

⚠ 後には、「ほかにも」という意味を表す「も」や、さらに広い範囲を表す言葉（みんな・さまざまな・いつもなど）を使った文が来る。

2　〜のみならず

⇒〜だけでなく、ほかにもある。 硬い言い方

①電気代のみならず、ガス代や水道代も値上がりするようだ。

②与党のみならず、野党も党首の選出には慎重だ。

③石井さんは、差別的な発言をしたのみならず、それについて謝ることもなかった。

🖊 名 ・普通形（ナ形 だ－である・名 だ－である） ＋のみならず

⚠ 「〜に限らず」と違って、同じレベルのほかのものも同様だという場合にも使える。後には、「ほかにも」という意味を表す「も」を使った文が来ることが多い。

3　〜ばかりか

⇒〜だけでも十分なのに、さらにほかのことも加わる。

①発見が遅れたばかりか対策にも手間取ったので、牛の病気が広がってしまった。

②田島先生の説明は、子供にもわかりやすいばかりか、非常におもしろくてためになる。

③Aコースの山道は、初心者には危険なばかりか、途中の景色もあまり良くない。

④友達ばかりか親兄弟も彼の居場所を知らない。

🖊 名 ・普通形（ナ形 だ－な/-である・名 だ－である） ＋ばかりか

⚠ 前の文で普通ではないことを言い、さらに後の文でも意外性を感じさせるほかのことを加える。後の文では「ほかにも」という意味を表す「も」を使うことが多い。また、働きかけの文は来ない。

4　～はもとより

⇒～はもちろん、ほかもそうだ。　硬い言い方

①たばこは本人はもとより、周りの人にも害を及ぼす。

②家族で外国に滞在している人は、自分の健康管理はもとより家族の心身の健康にも気を配った

ほうがいい。

③地元の住民はもとより、周辺の地域に住む人たちも原子力発電所に不安を感じている。

④この学校では、教室内ではもとより教室の外でも禁煙を守ってください。

🔖 名 (＋助詞)　＋はもとより

⚠ 話者が当然だと思っている例を示す言葉につく。後には、そのほかの例を加える。「ほかにも」と
いう意味を表す「も」を使った文が来ることが多い。

5　～上(に)

→3課-2

⇒～だけでなく、さらにいいこと・悪いことが重なる。

①田中さんには仕事を手伝ってもらった上に、仕事の後、ごちそうになった。

②森田先生は、毎日医師として忙しく仕事をしている上、週末も学会や講演で飛び回っている。

③このテキストは用語が難しい上に、内容も良くない。

④ここは空気がきれいな上、近くに明るいところがないので星がよく見える。

⑤今日は寝不足の上、少し熱がある。早く帰りたい。

🔖 普通形 (ナ形 だ –な/–である・名 だ –の/–である)　＋上(に)

⚠ 前後には同じ評価の言葉(プラスのこととプラスのこと・マイナスのこととマイナスのこと)が来る。
反対のことや関係ないことは来ない。後には、働きかけの文は来ない。

1 (　　　　)に限らずこの県全体に高層ビルが増えている。

　　a わたしの町　　　　　　　　b 東京　　　　　　　　　c 全国

2 日本のアニメは、(　　　　)に限らず今や世界中で評価されている。
　　a 人気作家の作品　　　　　　b アニメ好きな若者　　　c 日本国内

3 りんごに限らず(　　　　)新鮮さが大切だ。

　　a みかんも　　　　　　　　　b 魚も　　　　　　　　　c 果物はみんな

4 田中さんに限らず(　　　　)昼休みに勉強している。

　　a わたしは　　　　　　　　　b ほかの人たちも　　　　c 山中さんが

1 今年の6月は、気温が(　　　　)のみならず、大雨の日も多いようだ。
　　a 不安定　　　　　　　　　　b 不安定だ　　　　　　　c 不安定である

2 環境問題は、(　　　　)のみならず、地球全体の問題である。

　　a わが国　　　　　　　　　　b わたし　　　　　　　　c 人間

3 この小説は、賞を受賞したのみならず、(　　　　)。
　　a 大変評価された　　　　b 映画化もされた　　　　c よく売れるだろう

1 この道具は、使い方が(　　　　)ばかりか、壊れやすい。
　　a 複雑　　　　　　　　　　　b 複雑な　　　　　　　　c 複雑で

2 今年の夏の暑さはひどかった。(　　　　)、暑さが原因で病気になる人が続出した。
　　a わたしばかりか友人も　　b 男性ばかりか女性でも　　c 高齢者ばかりか若者でも

3 昨日就職説明会があったが、遅刻者が多かったばかりか、(　　　　)。
　　a 私語も多かった　　　　b 真剣な質問も多かった　　c 欠席者は少なかった

4 この薬を飲むようになってから、よく眠れるようになったばかりか、(　　　　)。
　　a 食欲も出てきた　　　　b のどが渇くようになった　　c 集中力もなくなった

4

1 （　　　　　）病気を治すために努力をしていかなければならない。

 a 医者はもとより患者も   b 病院はもとより医者も   c 家族はもとより患者も

2 息子がやっと大学に合格しました。（　　　　　）喜んでいます。

 a 家族はもとより本人も   b 本人はもとより家族も   c わたしはもとより本人も

3 敬語の使い方は、（　　　　）難しいようだ。

 a 社会人はもとより学生にも b 外国人はもとより日本人にも

 c 大人はもとより10代の人たちにも

5

1 彼は明るい上に、（　　　　）。

 a まじめな性格だ   b 漫画が好きだ   c 趣味がない

2 彼には30分も待たされた上、夕食を（　　　　）。

 a ごちそうした   b ごちそうしてもらった   c ごちそうさせられた

3 山中さんにはプレゼントをいただいた上に、（　　　　　）。

 a 家まで送っていただいた b プレゼントは高価なものだった

 c いつも優しくしてくれる

1〜5

1 ビタミンB（　　　　）、ビタミンEも体に必要な栄養素である。

 a の上に   b ばかりでなく   c ばかりか

2 元気なとき（　　　　）、つらいときもわたしは散歩に出かける。

 a はもちろん   b ばかりか   c に限らず

3 残業（　　　　）休日出勤もしたので、今週はとても疲れた。

 a はもとより   b に限らず   c の上に

4 彼はかっこいい（　　　　）、ギターも歌も上手だ。

 a に限らず   b はもとより   c ばかりか

5 留学中は日本の言語や文化を学ぶ（　　　　）、自分の国のことも伝えていこうと考えている。

 a 上   b のみならず   c ばかりか

6 禁煙するには、本人の意志（　　　　）、一緒に暮らす家族の協力が欠かせない。

 a はもとより   b に限らず   c の上

7課 〜について・〜を相手にして

〔復習〕　・母に佐藤さんのことを話した。

　　　　・わたしは今、紅茶の歴史について調べています。

　　　　・犬に文句を言ってもしょうがない。

1　〜に関して

⇒〜の内容について、詳しい情報を得たり発したりする。 硬い言い方

①今回の事件に関して何か詳しいことがわかりましたか。

②ごみ処理の問題に関しましては、環境課の課長がご説明いたします。

③警察では、犯行の動機に関し、詳しい調査を開始した。

④高齢者の生活に関するアンケートにご協力ください。

🔗 名 ＋に関して

　 名 ＋に関する＋名

⚠ 後には情報を得ることを表す動詞(調べる・説明するなど)の文が来ることが多い。「〜について」と違って、答えがはっきりすぐ出ること(年齢・国籍など)ではなく、周辺を含む大きなテーマを表す言葉につく。

2　〜をめぐって

⇒〜について議論・対立的行為・うわさなどをする。 硬い言い方

①親が残した土地をめぐって親族が争っている。

②消費税の問題をめぐり、国会は大きく揺れた。

③彼女の行動をめぐるうわさはたちまち社内に広がった。

🔗 名 ＋をめぐって

　 名 ＋をめぐる＋名

⚠ 動作主は複数であることが多い。後には、複数の人がかかわることを表す動詞の文が来る。

3　〜にかけては

⇒〜がだれよりも上手だ。

①あの政治家は演説にかけては最高のレベルだ。

②わたしは安い材料でおいしい料理を作ることにかけてはだれにも負けませんよ。

③ボール運びのうまさにかけては中井選手の右に出るものはいない。

🔗 名 ＋にかけては

⚠ 技術・能力などを表す言葉につく。後には、「一番能力がある」という意味の文が来る。

4 　～に対_{たい}して

A⇒～を相手_{あいて}にあることをする・～についてある感情_{かんじょう}を持_もつ。

①目上_{めうえ}の人に対してそんな乱暴_{らんぼう}な言い方をしてはいけません。

②桜井氏_{さくらいし}の発言_{はつげん}は県民_{けんみん}に対して失礼_{しつれい}だと思う。

③政府_{せいふ}の案_{あん}に対して住民_{じゅうみん}は大反対_{だいはんたい}した。

④このアンケートから会社に対する不満_{ふまん}が読み取_{よ と}れる。

🦾 名 ＋に対して

　　名 ＋に対する＋名

⚠ 人_{ひと}や団体_{だんたい}・テーマや問題点_{もんだいてん}などを表_{あらわ}す語_ごにつく。後_{あと}には、その対象_{たいしょう}への直接的_{ちょくせつてき}な行為_{こうい}・態度_{たいど}・気持_{き も}ちなどを表_{あらわ}す文_{ぶん}が来_くる。

B⇒～とははっきり違_{ちが}って、あることが言_いえる。

⑤やる気がなかった前の会長_{かいちょう}に対して、新しい会長は素晴_{す ば}らしい行動力_{こうどうりょく}がある。

⑥うちでは、父は感情_{かんじょう}が激_{はげ}しいのに対して、母は冷静_{れいせい}で穏_{おだ}やかな性格_{せいかく}です。

⑦朝はパンを食べると答えた人が30％だったのに対して、ご飯を食べると答えた人は65％だった。

🦾 名・普通形（ナ形 だ –な/–である・名 だ –な/–である）＋の ＋に対して

⚠ 前後_{ぜんご}には、はっきり違_{ちが}いがあることが来_くる。

5 　～にこたえて

⇒～の期待_{きたい}・要望_{ようぼう}がかなうように、あることをする。

①応援_{おうえん}してくれる人の気持ちにこたえて立派_{りっぱ}な試合をしよう。

②その歌手は、会場の人々_{ひとびと}のアンコールにこたえて再び舞台_{ふたた ぶたい}に出てきた。

③国民_{こくみん}の皆様_{みなさま}のご要望にこたえる政治_{せいじ}を行いたいと思います。

🦾 名 ＋にこたえて

　　名 ＋にこたえる＋名

⚠ 「期待_{きたい}・要望_{ようぼう}・希望_{きぼう}・アンコール」など限_{かぎ}られた言葉_{ことば}につく。後_{あと}には、動詞_{どうし}の文_{ぶん}が来_くる。

1

1 本人の了解がなければ、(　　　　　)に関してはお答えできません。
   a 今年何歳か　　　　　　　　b 個人情報　　　　　　　　c メールアドレス

2 ここには日本語能力試験(　　　　　)ことが詳しく書いてある。
   a に関して　　　　　　　　　b に関する　　　　　　　　c に関している

3 わたしはこの地域の植物に関して(　　　　　)。
   a 本で調べてみた　　　　　　b 世話をしている　　　　　c 写真に撮っている

4 選挙結果に関する(　　　　　)。
   a データを見たい　　　　　　b 何か意見はありませんか　c インターネットで調べた

2

1 (　　　　　)子供の教育問題をめぐっていろいろと議論した。
   a わたしは　　　　　　　　　b わたしたちは　　　　　　c 父は

2 旅行のスケジュールをめぐって(　　　　　)。
   a ご説明いたします　　　　　b このプリントに書いてある　c メンバーの意見が割れた

3 新年度の予算案をめぐって(　　　　　)。
   a 国民はあまり関心がない　　b 首相は多くの質問を受けた　c 対立はまだ続いている

3

1 父は(　　　　　)にかけては親戚の中で一番だ。
   a 背の高さ　　　　　　　　　b 話のうまさ　　　　　　　c 年齢

2 花子は(　　　　　)にかけてはすごい腕を持っている。
   a 料理　　　　　　　　　　　b 読書　　　　　　　　　　c おいしいもの

3 わたしは足の速さにかけては(　　　　　)。
   a 全くだめだ　　　　　　　　b 速いほうだ　　　　　　　c だれにも負けない

4 うちの子は魚のことにかけては(　　　　　)。
   a 博士と言ってもいいくらいだ　b あまり関心がないようだ　c かなり好きらしい

4

1　外国人に対してこの国は（　　　　）。
　　a　暮らしやすいか　　　　　　b　どんなサポートをするのか　　c　憧れの国なのか

2　田中さんはわたしに対して（　　　　）。
　　a　お姉さんのような人だ　　　b　最も信頼できる　　　　　　　c　特別に親切にしてくれる

3　A校は（　　　　）に対して、B校は文化施設をたくさん持っている。
　　a　スポーツ施設がいい　　　　b　スポーツ施設がいいの　　　　c　スポーツ施設の良さ

4　昨年、6月は雨量が多かったのに対して、（　　　　）。
　　a　5月は少なかった　　　　　b　3月も多かった　　　　　　　c　9月は少し多かった

5

1　皆様の（　　　　）にこたえて精いっぱい頑張ります。
　　a　ご期待　　　　　　　　　　b　ご満足　　　　　　　　　　　c　ご不満

2　市では市民の要求にこたえて（　　　　）。
　　a　商店街が明るい　　　　　　b　公園ができた　　　　　　　　c　保育所を増やした

3　歴史的な大記録を作った斉藤選手は、祝福の拍手にこたえて（　　　　）。
　　a　帽子をとって軽くおじぎをした　　　b　大きな声で返事をした
　　c　とても満足した様子だった

1〜5

1　この問題はわたし（　　　　）難しい。
　　a　に対して　　　　　　　　　b　に関して　　　　　　　　　　c　にとって

2　所長は今回の事件（　　　　）どう責任をとるつもりなのか。
　　a　をめぐって　　　　　　　　b　に対して　　　　　　　　　　c　にこたえて

3　エンジンの開発（　　　　）、日本ではN社が一番進んでいると思う。
　　a　に対しては　　　　　　　　b　にこたえては　　　　　　　　c　にかけては

4　今回の選挙では、環境税（　　　　）候補者たちの意見が対立している。
　　a　に対して　　　　　　　　　b　をめぐって　　　　　　　　　c　にこたえて

5　政治問題（　　　　）若い人たちはあまり興味がないようだ。
　　a　に関して　　　　　　　　　b　にかけて　　　　　　　　　　c　をめぐって

8課 ～を基準にして

〔復習〕　・パーティーのメニューは、先日わたしがお願いした<u>ように</u>準備してください。

　　　　　・説明書に書いてある<u>とおりに</u>組み立てていけば、棚ができ上がります。

1　～をもとに（して）

⇒～という素材・基礎・土台などからあるものを作り出す。

①この小説は作者自身の個人的な体験<u>をもとに</u>書いたものだそうだ。

②このシャツのマーク、面白いでしょう。「花」という漢字<u>をもとにして</u>作ったんだそうです。

③あの飛行機事故<u>をもとにした</u>映画はこれだけじゃない。ほかにもある。

📎　名　＋をもとに（して）

　　名　＋をもとにした＋名

⚠️　実際の材料などには使わない。後には、何かを新しく作り出す・何かが作り出されるという意味の動詞（作る・デザインする・考え出す・できるなど）の文が来ることが多い。

2　～に基づいて

⇒～を基準と考えてあることをする。

①最新のデータ<u>に基づいて</u>売り上げ計画を立てたいと思います。

②国の道路計画<u>に基づいて</u>あちこちに新しい道路ができ上がっていく。

③このジムでは、科学的な実験結果<u>に基づいた</u>筋肉トレーニングを行っている。

④今日の留学説明会では、実際の経験<u>に基づく</u>いい話を聞くことができた。

📎　名　＋に基づいて

　　名　＋に基づく／に基づいた＋名

⚠️　基準になる意味の言葉（法・データ・計画・方針・調査結果など）につく。後には、動詞の文が来る。

3　～に沿って

⇒～に合うように・～からはずれないようにあることをする。

①今、政府の基本方針<u>に沿って</u>今年度の予算案を作っている。

②与えられたテーマ<u>に沿って</u>レポートを書き進めてください。

③皆さんのご期待<u>に沿った</u>活躍ができるように頑張ります。

④建築家は注文する人の意向<u>に沿う</u>住宅設計をしてほしい。

📎　名　＋に沿って

　　名　＋に沿う／に沿った＋名

⚠ 基準の意味を持つ言葉(ルール・方針・マニュアル・考えなど)につく。後には、その基準を流れの
あるものととらえ、一緒に進む一続きの行動を表す文が来る。

4 〜のもとで・〜のもとに

⇒〜の影響を受けてあることをする・〜の状況であることをする。

①チームは今、新しい監督のもとで練習に励んでいる。

②わたしは生まれてからずっと、優しい祖母のもとで幸せに暮らしてきました。

③この研究所では、一定の温度と湿度のもとで育てられた植物から新しい薬品を作り出した。

④校庭でのキャンプファイヤーは夏の最大イベントで、周辺住民の了解のもとに10年も続いてい
る。

⑤開発という名のもとに自然が失われていくのは残念だ。

🔖 名 ＋のもとで・のもとに

⚠ 「〜のもとで」は、主に人を表す言葉(先生・両親など)につき、「その人の影響を受けて」という意味。
後には、行為を表す文(励む・暮らすなど)が来ることが多い。「〜のもとに」は主に状況を意味する
名詞(管理・了解など)につき、「その条件・状況で」という意味。後には、行為を表す文・状態を表
す文(続いている・平等だなど)が来る。

5 〜向けだ

⇒〜という特定の対象に合うように考えられている。

①このマンションは一人暮らしの高齢者向けに設計されています。

②これは理科が好きな子供向けに編集された雑誌です。

③独身男性向けの料理教室が開かれることになった。

④この工場で生産されている発電機は個人向けだ。

🔖 名 ＋向けだ

⚠ 主に人を表す名詞につく。後には、「作る・設計する・デザインする」などの動詞の文が来ることが
多い。

1

1 あのアメリカ映画は(　　　)をもとにして作られたものだそうだ。
　a 日本の実話　　　　　　　b コンピューター技術　　　c 有名な監督

2 (　　　)をもとにして(　　　)ができた。
　a 牛肉／ハンバーグ　　　　b 毛糸／セーター

　c 漢字／ひらがなとカタカナ

3 (　　　)をもとにロボットを作る計画を立てた。
　a 実験　　　　　　　　　　b 山中先生の指導　　　　　c 頭の中にあるイメージ

4 この町の中学生が出したアイディアをもとに(　　　)。
　a 駅前広場のデザインを変えた　　b 駅前広場がきれいになった

　c 駅前からのバスの本数が多くなった

2

1 (　　　)に基づいて市役所を建て直す計画が立てられた。
　a アンケート結果　　　　　b 市民たち　　　　　　　　c 税金

2 わたしはこの会社の(　　　)に基づいたやり方を守っていきたいと思っている。
　a 企業精神　　　　　　　　b 社長　　　　　　　　　　c 資金

3 試験の成績と面接の結果に基づいて(　　　)。
　a 合格でした　　　　　　　b 合格は難しいです　　　　c 合格か不合格かを決めます

3

1 本日の運動会は(　　　)に沿って順番に進めていきます。
　a プログラム　　　　　　　b いつもの年　　　　　　　c 学年

2 新人の店員たちはマニュアルに(　　　)やり方でお客様に応対している。
　a 沿って　　　　　　　　　b 沿った　　　　　　　　　c 沿っての

3 この幼稚園では親たちの希望に沿って(　　　)。
　a 自分のおもちゃを持っていってもいい　　b 年間の行事を決めている

　c 今朝は8時に門を開けた

1　わたしは今、（　　　　）のもとで楽しく生活しています。

　　a　小学生の孫　　　　　　　　b　ペット　　　　　　　　c　新しい母

2　公園は（　　　　）のもとに、環境が守られている。

　　a　国の保護　　　　　　　　　b　観光客　　　　　　　　c　村の人々

3　弟はある有名な音楽家のもとで（　　　　）。

　　a　ピアノを習っている　　　　b　ピアノが上手になった　　c　ピアノが好きになった

4　わたしたちのチームは新しいコーチの指導のもとで（　　　　）。

　　a　実力がついた　　　　　　　b　毎日頑張っている　　　　c　安心している

1　この部屋は（　　　　）向けに作られている。

　　a　わたし　　　　　　　　　　b　高齢者　　　　　　　　c　南

2　（　　　　）向けに書いてある着物の着方の説明書が欲しい。

　　a　初めての人　　　　　　　　b　着物教室の使用　　　　c　外国

3　このお土産は外国人観光客向けに（　　　　）ね。

　　a　人気があります　　　　　　b　おもしろいです　　　　c　作られたものです

1　合宿中は、決められたスケジュール（　　　　）行動しなければならなかった。

　　a　をもとにして　　　　　　　b　向けに　　　　　　　　c　に沿って

2　この流行歌は古い民謡（　　　　）作られている。

　　a　をもとにして　　　　　　　b　のもとで　　　　　　　c　向けに

3　歴史的事実（　　　　）書かれた小説はとてもおもしろい。

　　a　について　　　　　　　　　b　に基づいて　　　　　　c　のもとで

4　このパソコン入門コースは中高年（　　　　）開かれるものです。

　　a　に沿って　　　　　　　　　b　をもとにして　　　　　c　向けに

5　すべての国民は、日本国憲法（　　　　）平等である。

　　a　のもとに　　　　　　　　　b　に沿って　　　　　　　c　をもとにして

9課 〜に関連して・〜に対応して

〔復習〕　・国によって習慣が違う。

　　　　　・その日の天候によっては、スポーツ大会は中止になるかもしれない。

　　　　　・高く登れば登るほど、見える景色が広がっていく。

1 〜につれて・〜にしたがって

　⇒一方が変化するのと一緒に、もう一方も変化する。

①台風の接近につれて、雨や風が強くなってきた。

②日本に来て日がたつにつれ、会話が上達してきた。

③車のスピードが上がるにしたがって、事故の危険性も高くなる。

④息子は成長するにしたがって、口数が少なくなった。

✍ 名 ~~する~~・動 辞書形　＋につれて・にしたがって

⚠ 前には、だんだん変化することを表す言葉(進む・上がる・多くなるなど)が来る。

　「〜につれて」は一方方向の変化の場合にだけ使う。「〜にしたがって」は一方方向の変化でなくても

　使える。また、「〜につれて」の後には自然に起こる変化を表す文が来て、意志的な行為を表す文は

　来ない。「〜にしたがって」の後にも自然な変化を表す文が来ることが多い。

2 〜に伴って・〜とともに

　⇒一方が変化するのと一緒に、もう一方も変化する・変化させる。 硬い言い方

①入学する留学生数の変化に伴って、クラス数を変える必要がある。

②メールが普及するに伴い、コミュニケーションの方法も変わってきた。

③地球の温暖化に伴うさまざまな変化を観察したいと思っている。

④経済の回復とともに、人々の表情も明るくなってきた。

⑤ペットボトル飲料の売れ行きが伸びるとともに、リサイクルも真剣に考えられるようになった。

✍ 名 ~~する~~・動 辞書形　＋に伴って・とともに

　　名 ~~する~~ ＋に伴う＋名

⚠ 前後には変化を表す言葉が来る。「〜とともに」は一方方向への変化の場合に使う。

　「〜に伴って」は一方方向の変化でなくても使える。どちらも少しずつ段階的に変化する様子ではな

　く、変化全体に注目しているときに使われやすい。

3	～次第だ

⇒～が変われば結果も変わる・～によって決まる。

①人生が楽しいかどうかは考え方次第だ。

②この夏のトレーニング次第で秋の試合に勝てるかどうかが決まる。

③レストランは、雰囲気次第でお客様が増えたり減ったりするのです。

④あなたの言い方次第では、この話、断られるかもしれませんよ。

　名＋次第だ

⚠ いろいろな違いや幅がある言葉につく。後には、「～」に対応して変わる(増えたり減ったりするなど)・決まるということを表す文が来る。「～次第では」の後には、いろいろに変わるうちの一つの可能性を表す文(増える・負けるなど)が来る。

4	～に応じて

⇒～に合わせて変える・変わる。

①ご予算に応じてパーティーのメニューを決めます。

②お子さんの年齢に応じて本を選んであげてください。

③収入に応じて収める税金の額が変わる。

④無理をしないで体力に応じた運動をしましょう。

　名＋に応じて

　名＋に応じた＋名

⚠ 一定でなく変化が予想されるもの(体力・年齢・天候など)につく。後には、「～に合わせたことをする・～に合うように変わる」という意味の文が来る。

5	～につけて

⇒～すると、いつも必ずそういう気持ちになる。

①この歌を聞くにつけて、心に希望がわいてくる。

②彼女のうわさを聞くにつけて、心配になる。

③この作家の本を読むにつけ、今の自分を反省しています。

④父は何かにつけて、若いころ外国で過ごした思い出を語る。

　動 辞書形＋につけて

⚠ 後には、心の動きを表す文が来る。④の「何かにつけて」は「何かがあるたびに」という意味の慣用的な言い方。この場合は後に来るのは心の動きを表す文でなくてもよい。

1

1 彼は（　　　　）につれて、一人でいる時間が多くなっていった。

　a 高校を卒業する　　　　　　b 大人になる　　　　　　c 社会人になる

2 父は（　　　　）につれて、気が弱くなっていった。

　a 年をとる　　　　　　　　　b 90歳になる　　　　　　c わたしが結婚する

3 気温が（　　　　）にしたがって、ビールの売れ行きが伸びていく。

　a 変化する　　　　　　　　　b 上がる　　　　　　　　c 30度を超える

4 日本語が話せるようになるにつれて、（　　　　）。

　a 日本人の友達が増えた　　　b 日本人と一緒にいるのが楽しかった

　c 日本の各地へ旅行に行った

5 この辺りは暗くなるにしたがって、（　　　　）。

　a にぎやかだ　　　　　　　　b にぎやかになる　　　　　c 人々が集まった

2

1 社会が複雑に（　　　　）に伴って、人間関係は薄くなっていくのではないか。

　a なる　　　　　　　　　　　b なった　　　　　　　　c なっている

2 （　　　　）とともに、湿度が高くなる。

　a 雨が降る　　　　　　　　　b 雨が多い　　　　　　　c 雨の量が多くなる

3 仕事の経験が増すに伴って、（　　　　）。

　a 課長になった　　　　　　　b 給料が3万円増えた

　c 会社内での地位が上がっていった

3

1 （　　　　）は、努力と運次第だ。

　a いい結果　　　　　　　　　b いい結果を出せるかどうか　　c いい結果が出たの

2 その夏の（　　　　）次第で、米や果物の収穫量が変わる。

　a いい天気　　　　　　　　　b 雨天　　　　　　　　　c 天候

3 君のやる気（　　　　）、いい仕事が取れるかどうかが決まるのです。

　a 次第　　　　　　　　　　　b 次第で　　　　　　　　c 次第では

4 試合の相手次第では、（　　　　）。

　a 準々決勝まで進めるかもしれない　　　b 準々決勝まで行けるかどうかが決まる

　c 試合の結果が変わる

5 転職するかどうかは（　　　　）次第だ。
　　a 今の嫌な仕事　　　　　　　b 次のいい仕事　　　　　　　c 次の仕事の条件

4

1 （　　　　）に応じて給料が決まる。
　　a 男女　　　　　　　　　　　b パートタイムかフルタイムか　c 経験年数

2 この老人ホームでは、（　　　　）に応じて食事の献立をいろいろ工夫している。
　　a 献立表　　　　　　　　　　b 入居者の好み　　　　　　　c 楽しいアイディア

3 時と場合に応じて（　　　　）。
　　a 着ていく服を変えます　　　b 外出しません　　　　　　　c 留守の時間が長いです

4 このサングラスのレンズは周りの明るさに応じて（　　　　）。
　　a 色が変わる　　　　　　　　b 色が濃い　　　　　　　　　c 色が一定ではない

5

1 自然災害のニュースを（　　　　）につけ、自然の恐ろしさを感じる。
　　a 聞いている　　　　　　　　b 聞く　　　　　　　　　　　c 聞いた

2 この古いアルバムを見るにつけて、（　　　　）。
　　a 面白いことを発見する　　　b 母を思い出す
　　c また元の場所にしまっておく

1～5

1 運動量の増減（　　　　）、体重が変化した。
　　a につれて　　　　　　　　　b にしたがって　　　　　　　c につけて

2 わたしはその日の天候（　　　　）、服を選んでおしゃれを楽しんでいます。
　　a に応じて　　　　　　　　　b とともに　　　　　　　　　c につれて

3 季節の移り変わり（　　　　）、山の木々の様子もいろいろに変化する。
　　a につれて　　　　　　　　　b に伴い　　　　　　　　　　c 次第では

4 この仕事は、やり方（　　　　）もっと早く終わらせることができるかもしれない。
　　a にしたがって　　　　　　　b 次第では　　　　　　　　　c に応じて

5 この音楽を聞く（　　　　）、ヨーロッパを旅したくなる。
　　a につれて　　　　　　　　　b に伴って　　　　　　　　　c につけて

6 当旅行社では、見学場所など、お客様のご希望（　　　　）スケジュールを調節しております。
　　a に伴って　　　　　　　　　b とともに　　　　　　　　　c に応じて

10課 〜や〜など

〔復習〕　・出張用のかばんの中にはパソコンや本などが入っています。

　　　　・この町には図書館とか美術館とか公共の建物が多い。

1　〜やら〜やら

⇒〜や、ほかの〜などの例があるように、いろいろだ。

①勝ったチームの選手たちは、泣き出すやら飛び上がるやらさまざまに喜びを表した。

②だまされたとわかったときは腹が立つやら情けないやらで、気持ちを抑えることができなかった。

③娘の結婚式の日は、うれしいやら寂しいやら複雑な気持ちだった。

④テーブルの上には、四角いものやら丸いものやらいろいろな形の皿が置いてあった。

✎ 名・動辞書形・イ形い　＋やら

⚠ 同じグループの言葉を並べ、いろいろあって整理されていないことを強調する。話者がはっきり限定できないことやいろいろあって大変だと思うことを取り上げることが多い。

2　〜というか〜というか

⇒〜という言い方もできるし、ほかの〜という言い方もできる。

①あの子は元気がいいというか落ち着きがないというか、静かにじっとしていない子です。

②この部屋は、仕事場というか物置というか、とにかく仕事に必要な物が全部置いてあるんです。

③今のわたしの気持ちですか。そうですねえ。退職してほっとしたというか寂しいというか、複雑です。

✎ 普通形（ナ形だ・名だ）　＋というか

⚠ 同じ状況を説明するのにどちらが適切かはっきりしない表現を二つ挙げる。

3　〜にしても〜にしても・〜にしろ〜にしろ・〜にせよ〜にせよ　　→15課-⑥

⇒〜を例にとっても、ほかの〜を例にとっても同じことが言える。

①野菜にしても魚にしても、料理の材料は新鮮さが第一です。

②勉強をするにしても仕事をするにしても、計画を立ててからやったほうがいい。

③テレビにしろ新聞にしろ、ニュースには主観が入ってはいけない。

④入院するにしろ通院するにしろ、かなりのお金がかかるかもしれない。

⑤将来家を買うにしろ買わないにしろ、貯金はしておこう。

⑥与党にせよ野党にせよ、リーダーは責任が重い。

⑦論文を書くにせよ討論をするにせよ、十分にデータを集めておく必要がある。

🖉　名・動辞書形/ない形　＋にしても・にしろ・にせよ

⚠️　同じグループに入る例を挙げる。または、⑤⑥のように対立する意味を持つ例を挙げる。後には、話者の判断を表す文や働きかけの文が来ることが多い。「〜にせよ〜にせよ」は少し硬い言い方。

4　〜といった

⇒いくつかの例の後につけて、例をまとめる。

①わたしはケーキ、ポテトチップス、ハンバーガーといったカロリーの高いものが大好きなんです。

②にんじんやピーマンやかぼちゃといった色の濃い野菜は緑黄色野菜といって、体にとてもいいんですよ。

③京都とか鎌倉といった古い街には寺が多い。

④「エコ」という言葉は、「環境にいい」といった意味で使われるようになった。

🖉　名　＋といった＋名

⚠️　例がまだほかにもいろいろあることがわかる言葉につく。②③のように「や」「とか」などと組み合わせて使うことが多い。④は代表的な例を一つ挙げ、大体の内容を言う用法。

1

1 面接で不合格になったときは情けないやら（　　　　）やらで、しばらくだれとも話す気持ちに
なれなかった。
a 悔しい　　　　　　　　　b 残念だ　　　　　　　　　c 腹が立った

2 隣のうちでは（　　　　）大事にしている。
a 犬やら猫やらを　　　　　b 動物やら植物やらを　　　c 犬1匹やら猫3匹やらを

3 この夏休みは（　　　）やら（　　　　）やらで、大変だった。
a 引っ越し／暑い　　　　　b 宿題／体調　　　　　　　c アルバイト／レポート

2

1 うちの娘はのんびりしているというか（　　　　）というか、とにかく変わっているんですよ。
a 頑固　　　　　　　　　　b マイペース　　　　　　　c 怒りっぽい

2 わたしの説明は長すぎるとよく言われるんですが、言い切るのが怖いというか、（　　　　）と
いうか、そんな気持ちがあってどうしても長くなってしまうんです。
a 自信がない　　　　　　　b 言い切ってもいい　　　　c 短くまとめるべき

3 この映画の主人公は（　　　）というか（　　　　）というか、わたしにはよく理解できない性格
の人物だ。
a いい人／悪い人　　　　　b 男性／女性　　　　　　　c 賢い／ずるい

3

1 （　　　　）にしても（　　　　）にしても、この店は込んでいる。
a 平日／夜　　　　　　　　b 毎日／ときどき　　　　　c 平日／週末

2 今度の会に参加するにしろしないにしろ、（　　　　）。
a どちらですか　　　　　　b 参加したほうがいいです　　c 年会費は変わりません

3 映画を見るにせよドライブに行くにせよ、（　　　　）。
a お金はかかる　　　　　　b いろいろなところへ出かけた　c 好きですか

1　この町では（　　　　）といった交通手段が発達している。
　　a　地下鉄　　　　　　　　　　b　地下鉄やバス　　　　　　c　地下鉄とバス

2　日本で京都や奈良といった（　　　　）。
　　a　旅行をしたい　　　　　　　b　旅行したところだ　　　　c　所を旅行した

3　これはレモネード（　　　　）飲み物だ。
　　a　といった　　　　　　　　　b　という　　　　　　　　　c　といって

1　キャンプに行く（　　　　）海水浴に行く（　　　　）、子供にも準備を手伝わせたほうがいい。
　　a　やら／やら　　　　　　　　b　というか／というか　　　c　にしても／にしても

2　ジェットコースターに乗った人たちは、大声を出す（　　　　）硬い表情をする（　　　　）、いろ
　　いろだった。
　　a　やら／やら　　　　　　　　b　というか／というか　　　c　にしても／にしても

3　この服は、デザインが変わっている（　　　　）新鮮（　　　　）、とにかく派手すぎてわたしには
　　合わないと思う。
　　a　やら／やら　　　　　　　　b　というか／というか　　　c　にしろ／にしろ

4　英語（　　　　）中国語（　　　　）日本語（　　　　）、文法は言葉を効率良く学習するための道具だ
　　と思う。
　　a　やら／やら／やら　　　　　b　というか／というか／というか
　　c　にしろ／にしろ／にしろ

5　この袋には、水（　　　　）食料（　　　　）非常用の物が入っている。
　　a　やら／やら　　　　　　　　b　というか／というか　　　c　といった／といった

6　この庭にはゆり、くちなし、ラベンダー（　　　　）香りの強い花がたくさん植えられている。
　　a　という　　　　　　　　　　b　というか　　　　　　　　c　といった

7　彼女は慎重（　　　　）気が弱い（　　　　）、とにかく自己主張しない人だ。
　　a　というか／というか　　　　b　といった／といった　　　c　にせよ／にせよ

次の文の（　　　　）に入れるのに最もよいものを、1・2・3・4から一つ選びなさい。

[1] 時代（　　　　）人気の対象も変わるのだろうか。
1　を通じて
2　に対して
3　によって
4　に基づいて

[2] 今日中に買いたい物があったのに、今日（　　　　）財布を忘れてきてしまった。
1　に限って
2　限り
3　だけは
4　ばかりは

[3] わが社では、商品の品質改善（　　　　）、アフターサービスにも最大限の努力をしております。
1　からして
2　に関して
3　はもとより
4　をはじめ

[4] この地域（　　　　）、この国には全国的に山が多い。
1　からして
2　に限らず
3　の上で
4　の上に

[5] インターネットで（　　　　）、このテーマについての論文は発表されていない。
1　調べた上で
2　調べた限りでは
3　調べて以来
4　調べただけでは

[6] 虫の写真（　　　　）、わたしはかなり自信があります。
1　に限って
2　にかけては
3　に対しては
4　につけて

[7] 兄弟の間で、財産問題（　　　　）争いがなかなか解決しない。
1　にこたえる
2　に対する
3　にわたる
4　をめぐる

[8] みち子さんはどんな時にも、自分のこと（　　　　）ほかの人たちのことにも気配りしている。
1　だけでなく
2　からして
3　の上に
4　をはじめ

9　子供の数の減少（　　　　　）、使わない教室が増えた。

1　次第で　　　　　　　　　　　2　にわたって

3　とともに　　　　　　　　　　4　に沿って

10　会長（　　　　）社長（　　　　）、「長」と名のつく立場の人にはしっかりと未来を見通す力が必要だ。

1　というか／というか　　　　　2　にしろ／にしろ

3　や／や　　　　　　　　　　　4　やら／やら

11　計画表（　　　　）工事は順調に進められている。

1　にあたって　　　　　　　　　2　にこたえて

3　に関して　　　　　　　　　　4　に沿って

12　関西地方の5大学の協力（　　　　　）、資源の有効利用についての研究が行われている。

1　に伴って　　　　　　　　　　2　の際に

3　のもとに　　　　　　　　　　4　をもとにして

13　うちの子は言葉の数が増える（　　　　）、遊びも活発になってきた。

1　にあたって　　　　　　　　　2　にこたえて

3　にしたがって　　　　　　　　4　につけて

14　運動の内容は、その日の体調（　　　　）変えてください。

1　とともに　　　　　　　　　　2　に応じて

3　につけて　　　　　　　　　　4　につれて

15　あの森にはくま（　　　　）たぬき（　　　　）、いろいろな動物が住んでいるらしい。

1　というか／というか　　　　　2　といった／といった

3　やら／やら　　　　　　　　　4　にしても／にしても

〔復習〕・このドームでは天候に関係なくいろいろなイベントを行うことができる。

・彼女は僕の予定を考えないで、自分でどんどん旅行計画を立ててしまう。

・とても疲れているときは別として、わたしは毎日ジョギングをする。

---

1 〜を問わず

⇒〜がどうかは問題ではなく、どれにも同じことが言える。

①このドッグショーには種類を問わず、どんな犬でも参加できます。

②このクレジットカードは国内、国外を問わず、いろいろな場所で使える。

③このマラソン大会には、性別、年齢を問わず、だれでも参加できます。

🔗 名 ＋を問わず

⚠ いろいろな違いや幅のある言葉(年齢・国籍・天候など)や対立する言葉(男女・内外・有無など)につく。

---

2 〜にかかわりなく・〜にかかわらず

⇒〜には関係なく同じようになる。

①この路線バスの料金は、乗った距離にかかわりなく一律200円です。

②理由が何であるかにかかわりなく、一度納入した入学金はお返しできません。

③振り込み手数料は、送金金額にかかわらず無料です。

④使う、使わないにかかわらず、会場には一応マイクが準備してあります。

🔗 名 ＋にかかわりなく・にかかわらず

⚠ 幅のある言葉(距離・金額・大きさなど)につく。また、対立する言葉(行く、行かない・多い、少ないなど)や「(疑問詞)〜か」にもつく。

---

3 〜もかまわず

⇒普通なら気にする〜のことを気にしないで行動する。

①人目もかまわず、道で大泣きしている人を見かけた。

②彼は値段もかまわず、好きな料理をどんどん注文した。

③母は人を待たせているのもかまわず、まだ鏡の前で化粧している。

④父が病気で入院中であるのもかまわず、兄は毎日バイクで遊び回っている。

🔗 名 ・普通形(ナ形 だ –な/–である・ 名 だ –な/–である)＋の ＋もかまわず

⚠ 後には、普通でない行動、意外感のある行動を表す文が来る。話者の希望・意向を表す文や働きかけの文は来ない。

4 ～はともかく（として）

⇒ほかにもっと強調したいことがあるので、～はとりあえず考えないでおく。

①この店は、店の雰囲気はともかく、料理の味は最高だ。

②外ではともかく、家の中でたばこを吸うのはやめて。

③受験するかどうかはともかく、願書だけはもらっておこう。

④アラビア語を習いたい。読むのはともかくとして、簡単な会話はできるようになりたい。

🔖 名 (＋助詞) ＋はともかく（として）

普通形現在（ナ形 だ－な・名 だ－な）＋の　＋はともかく（として）

⚠ 話者が、後のことに比べてそれほど重要ではないと思っていることを表す言葉につく。また、「(疑問詞)～か」にもつく。後には、「～」よりもっと強調したいことを言う文が来る。

5 ～はさておき

⇒ほかにもっと大切なことがあるので、～はとりあえず話題からはずす。

①飲み会をするなら、細かいことはさておき、まずは場所と時間を決めなくては。

②どんな家がいいかはさておき、どんな地域に引っ越したいかを考えよう。

③冗談はさておき、次回のミーティングのテーマを決めておきたいと思います。

🔖 名 (＋助詞) ＋はさておき

⚠ それまで話題になっていたことを表す言葉につくことが多い。また、「(疑問詞)～か」にもつく。後には、「～」より優先順位が高いこと、基本的なことを表す文が来る。

1 このスポーツクラブのデイタイム会員は、昼間なら（　　　　）を問わず施設を利用することが

　　できる。

　　a 水曜日、木曜日　　　　　　b 週末　　　　　　　　　　c 曜日

2 この仕事は（　　　）を問わず、だれでもできます。

　　a 給料　　　　　　　　　　　b 経験の有無　　　　　　　c 未成年

3 このスポーツは年齢を問わず、（　　　）。

　　a だれでも楽しめます　　　　b いつでも楽しめます　　　c どこでも楽しめます

4 わたしは季節を問わず、（　　　）。

　　a 特に冬山に登ることが好きだ。　　b 山登りをすることが好きだ

　　c どんな季節も好きだ

1 父は（　　　　）にかかわらず、日曜日ごとにゴルフを楽しんでいます。

　　a 年齢　　　　　　　　　　　b 高齢　　　　　　　　　　c 天候

2 ここにある商品は大きさにかかわらず、（　　　）。

　　a どれでも500円です　　　　b 高いのも安いのもあります　c どれがいいですか

3 （　　　）にかかわりなく、年会費をお納めください。

　　a 今度の旅行への不参加　　　b 今度の旅行への参加、不参加　c 今度の旅行への参加

1 あの人は（　　　）のもかまわず、公園で服を着替えている。

　　a 人が見ている　　　　　　　b あたりが暗い　　　　　　c 人がいない

2 わたしが一人で仕事を片付けているのもかまわず、田中さんは先に（　　　）。

　　a 帰ってください　　　　　　b 帰ってもいいですよ　　　c 帰ってしまった

3 雨が降っているのもかまわず、選手たちは（　　　）。

　　a 練習を続けている　　　　　b 練習を続けましょう　　　c 練習を続けろ

4 天候が良くないのもかまわず、（　　　）。

　　a ようこそおいでくださいました　　b 彼は釣りに出かけていった

　　c どうしても出かけなければならない

4

1 子供はともかく、（　　　）。

　a 大人はちゃんとほかの人の話を聞くべきだ　　　b だれもが連休を楽しみにしている

　c みんな寝ている顔がかわいい

2 日本語を勉強するなら、漢字はともかく、ひらがなは（　　　）。

　a 日本で作られた字です　　　b 48字だけです

　c 早く覚えたほうがいいです

3 （　　　）はともかくとして、会長の考えは筋が通っていると思う。

　a 賛成するかどうか　　　　b 賛成できないか　　　　c 賛成できない

4 日本の夏は、暑いのはともかく、（　　　）。

　a わたしの国ほどではない　　　b 湿度が高いので嫌だ　　　c クーラーがあればいい

5 優勝できるかどうかはともかく、（　　　）。

　a 精いっぱい頑張ろう　　　b あまり気にしないほうがいい　　c 今はとても緊張している

5

1 （　　　）はさておき、値段の安さが気に入った。

　a 品質　　　　　　　　　b いい品質　　　　　　　c 悪い品質

2 スポーツ大会のプログラムはさておき、（　　　）。

　a 日程を決めよう　　　b 準備はすべて整った　　　c わたしも参加したい

3 料理の注文はさておき、（　　　）。

　a わたしたちはたくさん飲んだ　b まず乾杯しましょう　　c まず何が食べたいですか

1〜5

1 山田君は分野（　　　）、いろいろな本を読んでいる。

　a を問わず　　　　　　　b もかまわず　　　　　　c はさておき

2 子供は服が汚れるの（　　　）、泥遊びを続けている。

　a を問わず　　　　　　　b もかまわず　　　　　　c はともかく

3 お酒を飲むか飲まないか（　　　）、新年会の会費は全員7,000円です。

　a もかまわず　　　　　　b はさておき　　　　　　c にかかわらず

4 試合の勝ち負け（　　　）、自分が大きな失敗をしなかったことはうれしい。

　a にかかわらず　　　　　b はともかく　　　　　　c もかまわず

5 わたしのこと（　　　）、あなたは今、一番大切な人のことを考えるべきです。

　a もかまわず　　　　　　b を問わず　　　　　　　c はさておき

12課 強く否定する・強く否定しない

〔復習〕　・その案には絶対賛成できない。

　　　　・リーさんが今、日本にいるはずがない。先週帰国したんだから。

　　　　・今から頑張れば締め切りまでに完成できないことはない。

1　〜わけがない

⇒絶対〜ない・〜とは考えられない。

①この仕事を今日中に全部ですか。わたし一人でできるわけがありませんよ。

②田中先生の試験がそんなに簡単なわけがない。厳しいことで有名な先生なのだ。

③この店は元一流ホテルのコックさんが開いたんだ。料理がおいしくないわけがない。

🔖 普通形（ナ形 だ –な/–である・名 だ –の/–である）　＋わけがない

⚠ 話者が絶対そうではないと確信しているときの言い方。

2　〜どころではない・〜どころか　　　　　　　　→18課-5

⇒〜の程度ではなく、実際はそれとは大違いだ。

①せきが出るので風邪かなと思っていたが、ただの風邪どころではなく、肺炎だった。

②休日なのでちょっとは道が込むだろうと思っていたが、ちょっとどころではなかった。

③マナーが悪い人をちょっと注意したら、謝るどころか、逆にわたしにどなった。

④こんな下手なチームでは、何度試合をしても一度も勝てないどころか、1点も入れられないだろう。

🔖 名 ・普通形（ナ形 だ –(な)/–である・名 だ –である）　＋どころではない・どころか

⚠ 「〜どころか」の前後には程度が大きく違うことや反対のことが来る。前件よりも悪い状況を言うことが多い。

3　〜ものか　　　　　　　　　　　　　　　　→24課-6

⇒絶対〜ない。 話し言葉

①山田が時間どおりに来るものか。あいつはいつも遅刻なんだから。

②駅から歩いて40分。バスもない。こんな不便な所に住めるものか。

③あの人が正直なもんか。うそばかり言う人だ。

④わたしが努力家なもんですか。こつこつと努力するのは苦手なんですよ。

🔖 普通形（ナ形 だ –な・名 だ –な）　＋ものか

⚠ 少し感情的に強く否定する文。「～もんか」はさらにくだけた言い方。女性はふつう「～ものですか」「～もんですか」を使う。

4 ～わけではない・～というわけではない

⇒全部～とは言えない・特に～ということではない。

①携帯電話を持っていても、いつでも電話に出られるわけではない。

②A「どうしたの？ 怒っているの？」

B「怒っているわけじゃないけど……あなたの気持ち、このごろよくわからない。」

③親の気持ちもわからないわけではないが、自分の進路は自分で決めたい。

④その日は絶対に無理というわけではありませんが、できれば別の日にしてもらえるとありがたいです。

✎ 普通形（ナ形 だ－な/－である・名 だ－の/－な/－である） ＋わけではない

普通形（ナ形 (だ)・名 (だ)） ＋というわけではない

⚠ 部分的に否定する場合は、「全部」という意味の言葉（いつも・だれでも・どこでもなど）や「必ずしも」を一緒に使うことが多い。

5 ～というものではない・～というものでもない

⇒ある条件が整えば必ず～ということになるとは言えない。

①医師の仕事は資格をとればできるというものではない。常に最新の治療法を研究する姿勢がなければいけない。

②自由だからといって、何をしてもいいというものではありません。

③練習問題は一度やれば終わりだというものではない。間違ったところをよく復習することが大切だ。

④努力すれば必ず成功するというものでもない。チャンスも必要だ。

✎ 普通形（ナ形 (だ)・名 (だ)） ＋というものではない・というものでもない

⚠ 具体的な事実ではなく、物事の本質についての話者の主張・感想を言う文。条件を表す言い方（～ばなど）や「～からといって」を一緒に使うことが多い。「～というものでもない」の方が少し柔らかい言い方。

1

1 うちの母が毎日（　　　）わけがない。三つも仕事を抱えているのだ。
　a 暇　　　　　　　　b 暇だ　　　　　　　　c 暇な

2 あれ？　西本さんはまだ？　大事な約束があるから（　　　）わけがないんだけど。
　a 来る　　　　　　　b 来ない　　　　　　　c わからない

3 あの人が事故を起こす（　　　）。とても注意深い人なんだから。
　a わけがない　　　　b わけではない　　　　c というわけではない

4 5時に（　　　）わけがないでしょう。仕事がこんなにたまっているんです。
　a 帰れる　　　　　　b 帰れそうな　　　　　c 帰れない

2

1 わたしの家の近くは（　　　）どころか、うるさくて眠れないこともあるんですよ。
　a 静かの　　　　　　b 静かだ　　　　　　　c 静かな

2 A「バーゲンどうだった？　少しは買いたい物があった？」
　B「少しどころじゃないよ。（　　　）。」
　a あまりなかったよ　b すごくたくさんあったよ　c まあまあだったよ

3 弟のアパートにはエアコンどころか（　　　）。
　a 扇風機もない　　　b テレビはある　　　　c 車がない

4 わたしは外国旅行どころか（　　　）
　a 国内旅行には何度も行った　　b 国内旅行もめったにできない
　c 国内旅行に行ってみたい

3

1 こんなきついアルバイト、ひろしが（　　　）もんか。
　a しない　　　　　　b できる　　　　　　　c 辞める

2 A「あしたからフランスですか。いいなあ。」
　B「何がいいもんですか。（　　　）。」
　a 毎日仕事でハードスケジュールですよ　　b いいところがあったら教えてください
　c お土産を買ってきますよ

[4]

1　わたしは（　　　　）というわけではありませんよ。今日はたまたま休みなのです。

　　a　今、暇だ　　　　　　　　b　いつも忙しい　　　　　　c　いつも暇だ

2　両親には僕の気持ちを丁寧に説明したが、説明したからといって（　　　　）わけではない。

　　a　わからない　　　　　　　b　わかってもらえる　　　　c　わかってもらえない

3　実際に（　　　　）わけではないが、女優の松井あやこは優しい人だと思う。

　　a　会った　　　　　　　　　b　会っていない　　　　　　c　知らない

4　生物の先生が生物のことを（　　　　）わけではない。

　　a　知っている　　　　　　　b　何でも知っている　　　　c　何も知らない

[5]

1　（　　　　）というものではない。品質が問題だ。

　　a　安ければいい　　　　　　b　安いといい　　　　　　　c　安くてもいい

2　便利なものなら（　　　　）というものでもない。

　　a　たぶん売れるだろう　　　b　売れるかもしれない　　　c　必ず売れる

3　責任をとって（　　　　）というものではない。それでは何も解決しない。

　　a　辞めればそれですむ　　　b　辞めなくてもすむ　　　　c　辞めたほうがいい

4　タクシーで行けば（　　　　）というものではない。

　　a　20分かかる　　　　　　　b　早く着く　　　　　　　　c　1,500円必要だ

[1～5]

1　何でもお金で買える（　　　　）。お金では買えないものもある。

　　a　どころではない　　　　　b　ものではない　　　　　　c　わけではない

2　国に何度も電話をかけたので、今月の電話代は2万円ぐらいかかるとは思っていたが、2万円
　　（　　　　）。5万円もかかった。

　　a　どころではなかった　　　b　かかるもんか　　　　　　c　というものでもなかった

3　わたしは、納豆は嫌いな（　　　　）のですが、めったに食べません。

　　a　わけがない　　　　　　　b　わけではない　　　　　　c　どころではない

4　携帯電話は便利だが、いつでも好きな時に使っていい（　　　　）。マナーが必要だ。

　　a　どころではない　　　　　b　というものではない　　　c　ものですか

5　大きい地震があっても、この家が倒れたりする（　　　　）。絶対大丈夫だよ！

　　a　もんか　　　　　　　　　b　どころではない　　　　　c　わけではない

13課 ～（話題）は

〔復習〕 ・昼ご飯はいつも食堂で食べますが、晩ご飯はうちで自分で作ります。

・「すずめの涙ほど」というのは、とても少ないという意味である。

---

1 ～とは

⇒～という言葉を説明・定義する。 硬い言い方

①「校正」とはどういう意味ですか。

②「増悪」とは医学用語で、症状がもっと悪くなることである。

③人生とは本人が主役のドラマみたいなものだ。

🔖 名 ＋とは

⚠ 「～というのは」の硬い言い方。後には、その言葉の意味や本質を説明する文（～だ・～である・
～という意味である・～のことであるなど）が来る。

---

2 ～といえば   →13課- 3

A⇒話題に出てきた～という言葉を取り上げ、それに関連のある別の話に導く。

①このコーヒー、ハワイのお土産ですか。ハワイといえば、さち子さんが来月ハワイで結婚式を
するんだそうですよ。

②A「高速道路の料金が安くなるみたいですね。」

B「そのようですね。安くなるといえば、飛行機のチケットが安く買えそうなんで、来月旅行
しようと思っているんです。」

🔖 取り上げる言葉 ＋といえば

⚠ 相手の言葉や自分の話、思い出したことなどから取り上げた言葉に直接つく。

B⇒～ということを一応認めておいて、その後で本当に言いたいことを言う。

③今のアパート、駅から遠いので不便といえば不便ですが、静かでいいですよ。

④松本さんのうちのお嬢さん、かわいいといえばかわいいけど、ちょっとわがままね。

🔖 普通形（ナ形 (だ)・名 (だ)） ＋といえば

⚠ 前後に同じ言葉を繰り返し、その後に、「～が・～けれど」などをつける。

3 ～というと・～といえば・～といったら

⇒～という言葉からすぐに思いつくことを言う。

①これ、うちの畑でとれたトマトです。畑というと広い土地を想像するでしょうが、うちの畑は畳2枚ぐらいの狭さなんです。

②オーストラリアといえば、すぐにコアラとかカンガルーを思い浮かべる。

③くじらっていったら、思いつくことは何でしょうか。

④A「今度のパーティー、トップでやろうと思っているんですが……。」

　B「トップっていうと、去年オープンしたイタリアンレストランのことですよね。」

⑤A「わたし、今日でこの仕事を辞めるんです。」

　B「えっ。辞めるというと、もう来ないということですか。」

🔗 名・動・形 普通形　＋というと・といえば・といったら

⚠ 「～というと」は④⑤のように、相手の言った言葉が自分の思っていることと同じかどうか確かめる用法もある。後には、確かめる言い方（～ね・～かなど）が来ることが多い。

4 ～（のこと）となると

→15課-1

⇒～の話題・～に関連することに対しては、普通とは違う態度になることを強調する。

①佐藤さんは、好きな歌手のこととなると話が止まらない。

②弟は、車のこととなると急に専門家みたいになる。

③酒好きだった父は、酒となると人が変わったように元気になった。

🔗 名　＋（のこと）となると

⚠ 後には、普通ではない態度に変わるという意味の文が来る。

5 ～といったら

→13課-3

⇒～の程度が普通ではないということを強調する。

①締め切り前の仕事の忙しさといったら、君には想像もできないと思うよ。

②そのニュースを聞いたときの驚きといったら、しばらくは声も出ないほどだった。

③富士山の頂上から見た景色といったら、思い出すだけで感動する。

④暗い山道を一人で歩いたときの怖さといったら……。

🔗 名　＋といったら

⚠ 後には、普通ではない程度だという意味の文、驚きを表す文が来る。④のようにその文を省略することもある。

Ⅱ　主観を含めて説明する☆☆　13課　～（話題）は ―61

1

1 「QOL」とは生活の質という（　　　）である。

　a わけ　　　　　　　　　　b もの　　　　　　　　　　c 意味

2 「傾聴」とは耳を傾けて熱心に聞く（　　　）。

　a ということである　　　b というものである　　　c というのである

3 「帰化」とは希望してその国の国民になる（　　　）。

　a ことである　　　　　　b 意味である　　　　　　c のである

4 「おせち料理」とは（　　　）。

　a 使われている材料に意味がある　　　b 日本で正月に食べるごちそうのことだ

　c 母が毎年作ってくれたものだ

2

1 A「わたし、ピアノを習い始めたんです。楽しいですよ。」

　　B「そうですか。ピアノといえば、（　　　）。」

　a わたしはとても好きです　　　b いい音ですね

　c 田中君がピアニストと結婚するそうですよ

2 へー、新しいデジカメ買ったんですか。そうそう、（　　　）っていえば、この間わたし、写真コンテストで賞をとったんですよ。

　a 買った　　　　　　　　　　b カメラ　　　　　　　　　c 賞

3 A「あのお宅の犬、よくほえるね。」

　　B「犬といえば、（　　　）。」

　a かわいいね　　　　　　　　b ワンワンって鳴くね

　c うちの近くにペットショップができたよ

4 うちから学校まで（　　　）けど、いい運動になるから、たいてい歩いていきます。

　a 遠いといえば遠い　　　　　b 遠いといえばそんなに遠くない

　c 遠いといえばそんなに近くない

3

1 ばらの花といったら（　　　）。

　a 今、とてもきれいですね　　　b 痛いとげのことを考えます　　　c いつごろ咲きますか

2 ここに身分を証明するものが必要と書いてありますが、身分を証明するものというとパスポートでも（　　　）。

　a いいでしょうか　　　　　　b いいです　　　　　　　　c いいですよ

4

1　中山さんは料理のこととなると（　　　　）。

　　a　いろいろ知っている　　　　　　b　お母さんを思い出すらしい　　c　急に熱心になる

2　兄はバイクとなると（　　　　）。

　　a　いくらでもお金を使ってしまう　　b　とても好きだ

　　c　毎日乗っている

3　母はお金のこととなると（　　　　）。

　　a　今、とても困っているらしい　b　とたんに顔が曇る　　　　　　c　関心がないみたいだ

4　中川さんは商売のこととなると（　　　　）。

　　a　いい営業マンだ　　　　　　　　b　目の色が変わる　　　　　　　c　やる気がない

5

1　延長戦で負けたときの（　　　　）といったら、忘れようと思っても忘れられない。

　　a　悔しさ　　　　　　　　　b　残念だ　　　　　　　　　　　　c　悲しい

2　学生時代初めて一人で外国旅行をした。（　　　　）といったら、今思い出してもおかしい。

　　a　あの時の緊張　　　　　　b　あの時は緊張した　　　　　　c　緊張したあの時

3　一人暮らしを始めたころの寂しさといったら、（　　　　）。

　　a　とても寂しかった　　　　b　言葉にならないくらいだった　c　今は思い出せない

4　日本の夏の蒸し暑さといったら（　　　　）。

　　a　わたしの国よりはいい　　b　とても我慢できない　　　　　c　それほどでもない

1〜5

1　ミカはケーキ（　　　　）、ケーキ屋さんみたいに詳しく説明を始める。

　　a　とは　　　　　　　　　　b　といえば　　　　　　　　c　のこととなると

2　「氷点」（　　　　）液体が氷になる温度のことである。

　　a　とは　　　　　　　　　　b　となると　　　　　　　　c　ということは

3　大勢の人の前で転んだときの恥ずかしさ（　　　　）、思い出したくもない。

　　a　とは　　　　　　　　　　b　というと　　　　　　　　c　といったら

4　A「もうすぐ桜が咲くね。」

　　B「桜（　　　　）、この間桜の木でできた箱を買ったんですよ。とても気に入っています。」

　　a　といえば　　　　　　　　b　というのは　　　　　　　c　というと

14課 〜けれど

〔復習〕・返すのはいつでもいいと言った<u>けど</u>、返さなくていいとは言っていない。

・せっかく富士山の近くまで行った<u>のに</u>、天気が悪くてよく見えなかった。

・忙しく<u>ても</u>、メールの返事は必ず書きたい。

1 〜にもかかわらず

⇒〜には影響されないで、あることをする。

①水道工事の人たちは悪天候<u>にもかかわらず</u>、作業を続けている。

②中村先生はお忙しい<u>にもかかわらず</u>、快く僕のレポートをチェックしてくださった。

③足を痛めた<u>にもかかわらず</u>、村田選手はマラソンコースを最後まで走った。

🔖 名・普通形（ナ形 <del>だ</del>-である・名 <del>だ</del>-である） ＋にもかかわらず

⚠ 全体として、前の事実に影響されないことに対する驚き・意外感を表す。後には、話者の希望・意向を表す文や働きかけの文は来ない。

2 〜ものの・〜とはいうものの

⇒〜は事実なのだが、その事実から当然想像されることが起こらない。

①明日の天気です。関東地方は晴れる<u>ものの</u>、風が強いため寒く感じられるでしょう。

②高価な着物を買った<u>ものの</u>、着るチャンスがない。

③不景気<u>とはいうものの</u>、人々の表情は明るい。

④手術は成功した<u>とはいうものの</u>、まだ心配だ。

🔖 動・形 普通形（ナ形 <del>だ</del>-な/-である） ＋ものの

名・普通形（ナ形 (だ)） ＋とはいうものの

⚠ 事実または確実性が高いことにつく。後には、想像されるとおりではない・まだ問題がある、という意味の文が来る。働きかけの文は来ない。

3 〜ながら（も）

⇒〜という状態から予想されることとは違う・「〜けれども」と前置きする。

①毎日この道を通ってい<u>ながら</u>、ここにこんなすてきな店があるとは気がつかなかった。

②狭い<u>ながらも</u>庭があるので、わたしは花を育てて楽しんでいます。

③あの子は子供<u>ながら</u>、社会の動きをよく知っていますね。

🔖 動 <del>ます</del>・イ形 い・ナ形 /-であり・名 /-であり ＋ながら（も）

⚠ 状態を表す言葉につくことが多い。前後の主語は同じ。③はマイナスの状態を認めて前置きとして言う使い方。マイナス評価の言葉(小さい・わずかなど)につく。

---

4 ～つつ(も)   →2課-⑥

⇒～という心の動きとは、行動が違っている。

①早く返事を書かなければと気にしつつ、まだ書いていない。
②危険だと知りつつ、山道を登り続けた。
③体に良くないと思いつつも、毎日インスタント食品ばかり食べています。

🖉 動ます ＋つつ(も)

⚠ 心の動きや言語活動に関係する動詞(思う・知る・言うなど)につく。後には、話者の推量・希望・意向などを表す文や働きかけの文は来ない。前後の文の主語は同じ。

---

5 ～といっても

⇒実際は～ということから想像されるイメージとは違っている。

①わたしは今おばの家に住んでいる。おばといっても母のきょうだいではなく、祖母の妹にあたる人だ。
②料理ができるといっても、わたしが作れるのは簡単なものだけです。
③今もわたしの仕事はきつい。でも、きついといっても、前の会社にいたときほどではない。

🖉 名・普通形 ＋といっても

⚠ 後には、「～」からイメージされることとは違うという意味の文が来る。

---

6 ～からといって

⇒ただ～という理由だけでは、その理由から普通に予想されることは成立しない。

①連休だからといって、デパートに勤めているわたしたちは休めるわけではない。
②好きじゃないからといって、食べ物をこんなにたくさん残してはいけませんよ。
③忙しいからといって、睡眠をちゃんととらないと、体を壊しますよ。

🖉 普通形 ＋からといって

⚠ 「～だから当然…だ」という文を否定する言い方。後には、部分否定の表現(～とは限らない・～わけではない・～とはいえないなど)が来ることが多い。

1

1 彼は母親が（　　　　）にもかかわらず、毎日遊び歩いている。

　a 入院　　　　　　　　　　b 入院中だ　　　　　　　　c 入院中である

2 「うるさい」と注意されたにもかかわらず、みんな（　　　　）。

　a おしゃべりをやめない　　b 黙っている　　　　　　　c しばらく静かにした

3 このような大雨にもかかわらず、（　　　　）。

　a 皆さん、集まってください　　b みんなで集まりましょう

　c ようこそお集まりくださいました

2

1 兄はいい会社に（　　　　）ものの、仕事にはあまり熱心ではない。

　a 就職する　　　　　　　　b 就職した　　　　　　　　c 就職

2 カンさんの気持ちは（　　　　）ものの、彼の言うとおりにはしたくない。

　a 理解できない　　　　　　b 理解できなかった　　　　c 理解できた

3 今度の旅行、参加申し込みをしたものの、（　　　　）。

　a 行くかどうかまだ迷っている　　b 行かないことにしよう

　c キャンセルをお願いします

3

1 海の近くに生まれながら、わたしは（　　　　）。

　a 魚が好きだ　　　　　　　b 魚が好きではない　　　　c 魚とともに生きてきた

2 彼女は小さい子供が3人もいながら、（　　　　）。

　a 夜遅くまで外で働いている　　b 子供を大切に育てている　　c いつも子供と一緒だ

3 大雨が（　　　　）、まり子は自転車で出かけた。

　a 降りながら　　　　　　　b 降るとわかっていながら　　c 降りそうながら

4

1 つまらない番組だと思いつつ、（　　　　）。

　a 最後まで見てしまった　　b 途中で見るのをやめた

　c いい番組はほかになかった

2 彼はすべてを知りつつ、（　　　　）。

　a だれも彼に本当のことを聞こうとしなかった　　b だれにも本当のことを話そうとしなかった

　c みんなは何も知らなかった

3　悪いと知りつつカンニングを（　　　）。
　　a　してしまった　　　　　　b　するな　　　　　　c　してみよう

5

1　夏休みといっても、（　　　）。
　　a　1か月も休める　　　　　　b　休めるのは2日しかない
　　c　やりたいことがいろいろある

2　年をとっているといっても、父は（　　　）。
　　a　もう90歳だ　　　　　　b　定年退職になった　　　　　　c　まだとても元気だ

3　彼と仲がいいといっても、（　　　）。
　　a　結婚は考えていない　　　　　　b　結婚を考えている　　　　　　c　よくいろいろなことを話す

4　（　　　）といっても、前に何回か会ったことがあるだけです。
　　a　彼女とは親しくない　　　　　　b　彼女を知らない　　　　　　c　彼女を知っている

6

1　子供だからといって、（　　　）だめだ。
　　a　甘やかしては　　　　　　b　もっと優しくしなければ　　　　　　c　大人と同じに扱っては

2　成績がいいからといって、（　　　）。
　　a　就職は心配ない　　　　　　b　就職ができない　　　　　　c　就職ができるとは限らない

3　何をしても自由だからといって、人に迷惑を（　　　）。
　　a　かけないつもりだ　　　　　　b　かけなかった　　　　　　c　かけてはいけない

1～6

1　父は会社を経営しています。会社（　　　）社員は6人だけです。
　　a　にもかかわらず　　　　　　b　といっても　　　　　　c　だからといって

2　あの人は事実を（　　　）、わたしには何も言わなかった。
　　a　知っていながら　　　　　　b　知っているといっても　　　　　　c　知っているからといって

3　いつかスイスに行ってみたいと（　　　）、なかなか行くチャンスがない。
　　a　思うといっても　　　　　　b　思いつつ　　　　　　c　思うからといって

4　工事費が高い（　　　）、この施設はもう3回も建て直しをしている。
　　a　にもかかわらず　　　　　　b　といっても　　　　　　c　ながら

5　春が（　　　）、まだ寒い日が続く。
　　a　来たからといって　　　　　　b　来ながら　　　　　　c　来たとはいうものの

15課 もしそうなら・たとえそうでも

〔復習〕・もし事故を起こしたらどうするんですか。

・ヨーロッパへ行くなら秋がいいですよ。

・今から走っていっても間に合わないでしょう。

1 ～としたら・～とすれば・～とすると・～となったら・～となれば・～となると
→13課-④

⇒～と仮定した場合・～ということになった場合、そうする・そうなる。

①無人島に何か一つだけ持っていけるとしたら、何を持っていきたいですか。

②もし、あの飛行機に乗っていたとしたら、僕はもうこの世にいなかった。

③彼が犯人ではないとすると、どこかに本当の犯人がいるはずだ。

④税金が上がるとなれば、国民の生活はますます大変になるだろう。

⑤引っ越すとなると、かなりのお金がかかる。大丈夫かなあ。

🔗 普通形　＋としたら・とすれば・とすると

　　名・普通形　＋となったら・となれば・となると

⚠ 「～としたら・～とすれば・～とすると」は仮定の意味が強い。「～となったら・～となれば・～となると」は、実現する可能性があることにつき、それが実現した場合を考えている。どちらも後には話者の判断などを表す文が来る。「～とすると・～となると」の後には、話者の希望・意向を表す文、働きかけの文は来ない。

2 ～ものなら

⇒もし～できるなら、そうしたい・そうしてほしい。

①戻れるものなら20年前のわたしに戻って人生をやり直したい。

②あの日の出来事を忘れられるものなら忘れたいのに……。

③やれるものならやってみろ。

🔗 動 辞書形　＋ものなら

⚠ 無理そうなことを仮定して言う。前には、可能の意味を表す動詞が来る。後には、話者の希望や期待を表す文が来る。③のように相手を刺激する言い方の例もある。

3 ～（よ）うものなら

⇒もし～たら、大変なことになる。

①わたしはアレルギー体質なので、合わない食品を食べようものなら、体のあちこちがかゆくなる。

②山道は危ない。ちょっと足を踏み外そうものなら、大けがをするだろう。

③車の運転中は、一瞬でもよそ見をしようものなら、事故を起こすぞ。

🔎 動 う・よう形 ＋ものなら

⚠ 後には、「きっと大変なことになる」という意味の推量を表す文が来る。

4	～ないことには

⇒～なければ、あることが実現しない。

①一度会ってみないことには、仕事を任せられる人かどうかわからない。

②お金がないことには、この計画は進められない。

③足がもっと丈夫でないことには、あの山に登るのは無理だろう。

🔎 動 ない形・イ形 くない・ナ形 －でない・名 －でない ＋ことには

⚠ 後には、否定的な意味の文が来る。

5	～を抜きにしては

⇒～がなければ・～を考えに入れない状態では、あることが実現しない。

①インターネットとメールを抜きにしては、現代社会は成り立たないと言ってもいい。

②田中先生の好意的なご指導を抜きにしては、この勉強会は続けられないだろう。

③ボランティアの人たちの助けを抜きにしては、外国人の受け入れ計画は無理だと思う。

🔎 名 ＋を抜きにしては

⚠ 話者が高く評価するものを表す言葉につく。後には、実現しないという意味の文が来る。

6	～としても・～にしても・～にしろ・～にせよ	→10課-3、19課-6

⇒たとえ～ということが事実でも、話者の気持ちはそれに影響されない。

①親元を離れるとしても、できるだけ親の近くに住む方がいい。

②準備時間が短かったにしても、もう少し立派な報告書を書いてほしかった。

③たとえ悪い結果にしろ、できることは全部やってきたのだから後悔はしない。

④何をするにせよ、心を込めて取り組みたい。

🔎 普通形 ＋としても

名・普通形（ナ形 だ－である・名 だ－である） ＋にしても・にしろ・にせよ

⚠ 前に来る文は「～としても」は仮定のこと、「～にしても・～にしろ・～にせよ」は仮定のことでも事実でも良い。疑問詞を使う例も多い。後には、主に話者の評価・判断・感想を表す文が来る。

[1]

1　もし彼があの風邪薬を（　　　　）としたら、今ごろは眠くなっているはずだ。

　　a 飲む　　　　　　　　　　b 飲んだ　　　　　　　　　c 飲もう

2　課長、海外出張となれば、（　　　　）。

　　a 準備が大変ですね　　　　b 連れていってください　　c お手伝いしましょうか

3　もし、林君が本当にそんなことを言ったのだとすると、（　　　　）。

　　a 彼の精神状態が心配だ　　b 彼に本当かどうか確かめてほしい

　　c 彼とよく話してみるつもりだ

4　この計画を実行するとすれば、（　　　　）。

　　a ぜひ手伝ってください　　b 貯金を全部おろそう

　　c いくらぐらいかかりますか

5　早く卒業したいと思っているが、本当に卒業する（　　　　）寂しさを感じるだろう。

　　a とすれば　　　　　　　　b としたら　　　　　　　　c となったら

[2]

1　（　　　　）ものなら月の世界へ行ってみたい。

　　a 行ける　　　　　　　　　b 行く　　　　　　　　　　c 行こう

2　マンションで犬が飼えるものなら（　　　　）。

　　a 僕が世話をするよ　　　　b 僕は飼いたいよ　　　　　c うれしいな

3　100歳まで生きられるものなら（　　　　）。

　　a ぜひ生きてみたい　　　　b もっと健康に気をつけよう

　　c 市長からお祝いがもらえる

[3]

1　今回も試験に失敗しようものなら、（　　　　）。

　　a 来年また受験しよう　　　b 来年は必ず合格すると思う　c 人生真っ暗だ

2　あの人と一緒にお酒を飲もうものなら、（　　　）よ。

　　a 楽しいです　　　　　　　b 朝まで帰してくれません　　c やめたほうがいいです

3　会長に意見を言おうものなら、（　　　　）。

　　a よく聞いてくれる　　　　b 内容を整理しておいたほうがいい　　c どなられる

[4]

1　部屋がもっと広くないことには、（　　　　）。

　　a 掃除が楽だ　　　　　　　b 家賃も安いはずだ　　　　c 30人の会議には使えない

2 雪がもっと降らないことには、（　　　）。

  a わたしはありがたい　　　　　b スキー場はオープンできない　　c スケート場の客が増える

3 かぎがないことには、（　　　）。

  a 管理人から借りればいい　　　　b どうすればいいだろうか　　　　c 部屋には入れない

5

1 （　　　）を抜きにしては、この町の活気は取り戻せないだろう。

  a 自然災害　　　　　　　　　b 観光事業の収入　　　　　　　c 土地の値上がり

2 中山選手の活躍を抜きにしては、（　　　）。

  a 勝利は難しいだろう　　　　b みんな困る

  c きっと負けてしまうだろう

3 周りの人たちの援助を抜きにしては、（　　　）。

  a 彼は不幸だっただろう　　　　b 彼はもっと自由だったろう　　　c 今の彼はいなかったろう

6

1 （　　　）にしても、今年の夏は暑かった。

  a 昨年ほどではない　　　　　　b 昨年よりひどい　　　　　　　c 今までで最高だった

2 できないことではないにせよ、彼の当選は（　　　）。

  a 不可能だ　　　　　　　　　　b 可能性が高い　　　　　　　　c かなり難しいと思う

1〜6

1 わざとではない（　　　）、大事なものを壊されたんですから怒るのは当たり前です。

  a とすれば　　　　　　　　　b としたら　　　　　　　　　　c にしても

2 この会社に入っていなかった（　　　）、今ごろは何をしていただろうか。

  a としたら　　　　　　　　　b となると　　　　　　　　　　c にせよ

3 いい小説を書いて、将来は（　　　）文学賞をとってみたい。

  a とれるにせよ　　　　　　　b とれるものなら　　　　　　　c とろうものなら

4 心身ともに健康でない（　　　）、責任がある仕事はできない。

  a ことには　　　　　　　　　b ものなら　　　　　　　　　　c にしろ

5 大きい地震が（　　　）、この家はたちまち壊れてしまうだろう。

  a 起こらないことには　　　　b 起ころうものなら　　　　　　c 起こるとなったら

6 （　　　）、商品は売れないのである。

  a サービスがないにせよ　　　b サービスがないものなら　　　c サービスを抜きにしては

次の文の（　　　）に入れるのに最もよいものを、1・2・3・4から一つ選びなさい。

1　たとえ何か理由がある（　　　　　）、彼女があんな態度をとれば悪く受け取られるだろう。

　　1　にすると　　　　　　　　　　　　2　としたら
　　3　として　　　　　　　　　　　　　4　にせよ

2　レポートの内容（　　　　　）、締め切りに間に合って良かった。

　　1　を問わず　　　　　　　　　　　　2　はともかく
　　3　を抜きにして　　　　　　　　　　4　にかかわりなく

3　今日は暖かいという予報だったが、暖かくなる（　　　　　）、雪まで降ってきた。

　　1　ばかりで　　　　　　　　　　　　2　ばかりか
　　3　どころか　　　　　　　　　　　　4　ところが

4　専門的なこと（　　　　　）、この絵が素晴らしいことはわたしにもわかる。

　　1　もかまわず　　　　　　　　　　　2　はさておき
　　3　に基づいて　　　　　　　　　　　4　のもとで

5　台風が（　　　　　）、祭りは続けられている。

　　1　近づいているにもかかわらず　　　2　近づいているといっても
　　3　近づきながらも　　　　　　　　　4　近づきつつ

6　この会社では、年齢（　　　　　）リーダーになるチャンスが皆に平等に与えられている。

　　1　に沿って　　　　　　　　　　　　2　にしたがって
　　3　にもかかわらず　　　　　　　　　4　にかかわらず

7　手術を（　　　　　）早いほうがいいと医者に言われた。

　　1　しようものなら　　　　　　　　　2　するものなら
　　3　するとしたら　　　　　　　　　　4　しようとしたら

8　山田さんは趣味の映画のこと（　　　　　）ご飯を食べるのも忘れてしまうほどだ。

　　1　はさておき　　　　　　　　　　　2　はともかく
　　3　とすると　　　　　　　　　　　　4　となると

9 母が病気という知らせをもらった。今すぐ国へ（　　　　）そうしたい。

1 帰れるものなら　　　　　　　　2 帰れないことには

3 帰ろうものなら　　　　　　　　4 帰れないことでは

10 わたしは10年も中国で（　　　　）、中国語がほとんど話せない。

1 暮らしたにしても　　　　　　　2 暮らしたからといって

3 暮らしていながら　　　　　　　4 暮らしてこのかた

11 駅から会場まで（　　　　）歩けるけど、40分はかかるよ。タクシーで行こうよ。

1 歩けるというと　　　　　　　　2 歩くというと

3 歩けるといえば　　　　　　　　4 歩くといえば

12 景気は徐々に（　　　　）、就職状況には改善が見られない。

1 回復するばかりだといって　　　2 回復しつつあるとはいうものの

3 回復しつつあるといって　　　　4 回復するばかりだとはいうものの

13 この絵本は（　　　　）が、大人の読者が多い。

1 大人向けというわけではない　　2 大人向けということではない

3 大人に向けるわけではない　　　4 大人に向けることではない

14 「デジカメ」とは「デジタルカメラ」（　　　　）。

1 の省略である　　　　　　　　　2 を省略するのだ

3 の省略というものだ　　　　　　4 を省略することだ

15 あの人が（　　　　）。遊んでばかりですよ。

1 まじめなことですか　　　　　　2 まじめなものですか

3 まじめなはずですか　　　　　　4 まじめというものですか

16課 ～だから（理由）－1

〔復習〕 ・時間がなかったので、十分な準備ができなかった。

・試験のことが気になって、なかなか眠れなかった。

・事故があったために、道路が渋滞した。

---

1 ～によって

⇒～が原因で、ある結果になる・～という手段や方法であることをする。 硬い言い方

①今朝、中央線は踏切内で起きた事故によって、ダイヤが大きく乱れた。

②会長が交替したことによって、会の雰囲気が大きく変わった。

③この地方は毎年台風による被害が出ている。

④仕事をコンピューター化することにより、労働力不足は解決できるのではないか。

⑤合否の結果は後日書面で連絡します。電話による問い合わせは受け付けません。

🐾 名 ＋によって

　　 名 ＋による＋名

⚠ 手段の意味では、日常的な道具など（電話・ペン・電車など）を個人的に使う場合は使いにくいが、⑤のように名詞を説明する形では使える。

---

2 ～ものだから・～もので・～もの

⇒「～ので…」と言い訳をする。 話し言葉

①すみません。昨日はちょっと熱があったものですから、お休みしました。

②このところ忙しかったもので、お返事が遅れてしまいました。ごめんなさい。

③わたし、近眼なもんで、お顔がよく見えなかったんです。失礼しました。

④あの人の言うことはよくわからないよ。言葉が難しいんだもの。

🐾 普通形（ナ形 だ –な・名 だ –な）　＋ものだから・もので

　　 普通形　＋もの

⚠ 個人的な言い訳を言う。後に命令や意向を表す文は来ない。「もの」は主に文末に使い、特に女性や子供が多く使う。「ものですから・もので」の後の文も、省略されることがある。「もんだから・もんで・もん」は、さらにくだけた言い方。

---

3 ～おかげだ／～せいだ

⇒～の影響で、いい結果／悪い結果になった。

①わたしが東西大学に合格できたのは、山川先生のおかげです。ありがとうございました。

②佐藤さんが丁寧にチェックしてくださったおかげで、いいレポートができました。

③いい天気が続いているおかげで、工事が思ったより早く進んでいます。

④父は最近口数が少ない。疲れているせいかもしれない。

⑤今年の春は気温が低い日が多かったせいで、桜の開花が遅い。

⑥値段のせいか、この商品は売れ行きが悪い。

🖉 名 －の・ 動 ・ 形 普通形（ ナ形 だ －な） ＋おかげだ／せいだ

⚠ 「～おかげで」の後にはいい結果を表す文、「～せいで」の後には良くない結果を表す文が来る。話者の意向を表す文や働きかけの文は来ない。

4 ～あまり・あまりの～に

⇒とても～ので、普通ではない結果になってしまった。

①自分の番が近づいてきたとき、わたしは緊張のあまり頭の中が真っ白になってしまった。

②当然勝つと思っていた試合で最後に逆転負けし、悔しさのあまりぼろぼろ泣いた。

③仕事を早く片付けようと急いだあまり、いくつかミスをしてしまった。

④10年ぶりで兄に会った。兄のあまりの変化に言葉が出なかった。

🖉 名 －の・ 動 ・ 形 普通形肯定（ ナ形 だ －な） ＋あまり

　あまりの＋ 名 ＋に

⚠ 後には、普通でない結果（悪い結果が多い）を表す文が来る。話者の希望・意向を表す文や働きかけの文は来ない。

5 ～につき

⇒「～の理由で、ある状態になる」と公に知らせる。 硬い言い方 〈書き言葉〉

①トイレはただ今清掃中につき、ご利用になれません。

②強風につき、この門は閉鎖中です。

③本日は祝日につき、閉館しております。

🖉 名 ＋につき

⚠ 現時点での状況を表す言葉につく。張り紙や公式文書などに使う。

1　結果については（　　　　）によりお知らせします。

　　a　手紙　　　　　　　　　　b　文書　　　　　　　　　　c　電話

2　この薬は、20回以上の実験（　　　　）効果が証明された。

　　a　によって　　　　　　　　b　による　　　　　　　　　c　によっての

3　この地震（　　　　）津波の心配はありません。

　　a　によって　　　　　　　　b　による　　　　　　　　　c　によっての

4　事故の原因は運転手の不注意（　　　　）信号無視だった。

　　a　から　　　　　　　　　　b　による　　　　　　　　　c　によって

5　中川先生と出会ったことによって、わたしは（　　　　）。

　　a　うれしかった　　　　　　b　たいへん良かった　　　　c　大きく変わった

2

1　A「どうしてこれ、食べないの？」

　　B「だって、（　　　　）。ぜんぜん食べられないよ。」

　　a　大嫌いなもの　　　　　　b　大嫌いなんだもの　　　　c　大嫌いであるもの

2　朝ご飯を食べなかったものだから、（　　　　）。

　　a　おなかがすいてきた　　　b　早く昼ご飯にしよう

　　c　ここで食べてもいいですか

3　ちょっと寒いんです。（　　　　）もので。

　　a　冬になった　　　　　　　b　気温が8度な

　　c　シャツ1枚しか着ていない

3

1　田中さんの（　　　　）、楽しい旅行ができました。ありがとうございました。

　　a　おかげで　　　　　　　　b　おかげさまで　　　　　　c　おかげか

2　体力がついてきたおかげで、これからは（　　　　）。

　　a　頑張ろう　　　　　　　　b　頑張れる　　　　　　　　c　頑張ることにした

3　来客が多かったせいで、とても（　　　　）。

　　a　良かった　　　　　　　　b　楽しかった　　　　　　　c　疲れた

4　この夏、気温が上がらなかった（　　　　）、ぶどうが甘くない。

　　a　せいで　　　　　　　　　b　おかげで　　　　　　　　c　おかげか

1 結論を（　　　）あまり、相手を怒らせてしまった。

  a 急いだ   b 急いだの   c 急いで

2 わたしが書いた小説が入選した。その晩はうれしさのあまり（　　　）。

  a よく眠った   b よく眠れなかった   c 少し眠った

3 お祭りの後はごみがいっぱいだった。あまりの汚さに（　　　）。

  a 良くないと思う   b 気分が悪くなった   c すぐ掃除をしてください

4 沖縄の海は本当にきれいだった。あまりの美しさに（　　　）。

  a ぼーっとしてしまった   b よく見た   c とてもうれしかった

1 ただ今（　　　）につき、入室はご遠慮ください。

  a 忙しい   b 仕事   c 録音中

2 雨天につき、（　　　）。

  a 今日は出かけたくない   b 本日の野球の試合は中止とする

  c 今日は外出はやめよう

3 このプリンターは故障につき、（　　　）。

  a わたしが直しましょうか   b 直してくださいよ   c 使用できません

1 あの議員は不注意な発言（　　　）人気がなくなってしまった。

  a によって   b のあまり   c につき

2 わたしたちのチームがとうとう優勝した。感激の（　　　）、涙が出た。

  a せいで   b おかげで   c あまり

3 工事中（　　　）、この道は通行止めです。

  a なものだから   b のあまり   c につき

4 ミスをしないようにと気にする（　　　）、つい消極的になってしまう。

  a おかげで   b あまり   c もの

5 （　　　）、本日の野外写生会は延期させていただきます。

  a 悪天候のため   b 悪天候なもので   c 悪天候のせいで

1 〜ことだし

⇒ほかにも理由はあるが、とにかく〜だからあることをする。 話し言葉

①来週はお客様が来ることだし、家の中の大掃除をしなくちゃ。

②雨もやんだことだし、ちょっとジョギングしてこようかな。

③こちらのおなべは値段も安いことですし、お一ついかがでしょうか。

④あしたはお父さんも休みのことだし、みんなで買い物でも行かない？

✍ 普通形（ナ形 だ −な/ −である・名 だ −の/−である） ＋ことだし

⚠ 後には、話者の判断・希望・意向を表す文や働きかけの文などが来る。

2 〜のことだから

⇒〜の性格や普段の態度から考えると、あることが推量される。

①頑張り屋のみち子のことだから、きっと今度のテストでもいい点をとりますよ。

②いつもみんなを笑わせていたカンさんのことだから、国に帰ってもまた人気者になると思いますよ。

③太郎の帰りが遅いね。でも、あの子のことだ。どこかの本屋で立ち読みでもして時間が経つのを忘れているんだろう。

✍ 名 ＋のことだから

⚠ 主に人を表す言葉につく。後には、話者の推量・判断などを表す文が来る。③のように文末に使うこともある。

3 〜だけに

⇒〜だから、ある状態なのは当然だ・普通の場合よりもっとある状態になる。

①あそこは有名レストランだけに、客に出した料理に問題があったとわかったときは大ニュースになった。

②母は花が好きなだけに、花をもらうと大喜びする。

③父はよく話す人だっただけに、いなくなった後、いっそう寂しさを感じる。

④祖父はよく山登りをするが、年が年だけに、無事に帰ってくるまで心配だ。

✍ 名 ・普通形（ナ形 だ −な/ −である・名 −である） ＋だけに　＊名 だの形には接続しない。

⚠ 後には、「〜」という理由にふさわしい程度や状態を表す文が来る。働きかけの文は来ない。

④の「〜が〜だけに」は、「〜の程度が普通ではないから」という意味の言い方。

---

4 ～ばかりに

⇒～が原因で、予期しない悪い結果になった・どうしても～ということを実現したいので、普通ではないことをした。

①ちょっと大工の経験があるばかりに、いろいろな仕事を頼まれてしまう。

②家のかぎを忘れて出かけたばかりに、家族が帰ってくるまで家に入れなかった。

③遅刻の回数がちょっと多かったばかりに、推薦状を書いてもらえなかった。

④山頂から一目日の出を見たいばかりに、暗いうちに山小屋を出て2時間も歩いたのだ。

⑤テレビで見たこの村の人たちに会いたいばかりに、はるばる日本からやって来た。

🔖 普通形（ナ形 <del>だ</del> – な/ – である・名 <del>だ</del> – である）　＋ばかりに

⚠ ①②③はそれだけのことが原因で、予期しないマイナスの結果になったということを表す。後には、話者の希望・意向を表す文や働きかけの文は来ない。

④⑤のように希望を表す「～たい」につくときは、後には、普通の程度ではないことを表す文が来る。特にマイナスのことでなくても良い。

---

5 ～からには・～以上（は）・～上は

⇒～のだから、あることをするのは当然だ・あることをしてほしい・あることをするつもりだ。

①留学するからには、ちゃんと目的があるのでしょうね。

②高いお金を払って外国旅行をするからには、大いに楽しまなければ損だ。

③自分一人でやると言った以上、みんなに助けてもらうことはできない。

④専門職である以上は、常に新しい知識を身につけなければならないと思う。

⑤オリンピック出場を目指す上は、中途半端な気持ちではだめだ。

⑥会社を辞めると決めた上は、覚悟して今後のことを考える必要がある。

🔖 普通形（ナ形 <del>だ</del> – である・名 <del>だ</del> – である）　＋からには・以上（は）

動 辞書形/た形　＋上は

⚠ 文全体で、一般的に当然と思われることを表す。後には、話者の判断・希望・意向などを表す文や働きかけの文が来る。

1 出発まで時間も十分（　　　）ことだし、ロビーでちょっとお茶でも飲みませんか。

　a　ある　　　　　　　　　　b　あります　　　　　　　　c　あるの

2 今週は忙しかったことだし、（　　　）。

　a　とても疲れた　　　　　　b　メールもできなかった　　c　週末はゆっくり休みたい

3 このベッドは品質もいいことだし、（　　　）。

　a　値段が高い　　　　　　　b　これを買うことにしよう　　c　よく売れた

2

1 海が好きな母のことだから、（　　　）。

　a　今ごろはハワイで楽しんでいるだろう　　　b　海で遊ぶのをとても楽しみにしている

　c　海に行けて良かったと言っている

2 厳しい原田コーチのことだから、（　　　）。

　a　僕たちはとても緊張した　　b　試合に負けたらきっとすごく怒るよ

　c　僕は試合には負けたくないよ

3 栄養士の彼女のことだから、食べ物には十分（　　　）。

　a　気をつけている　　　　　　b　気をつけてほしい　　　　c　気をつけているはずだ

3

1 みんなに期待されているだけに、（　　　）。

　a　いい作品ができるように頑張れ　　　b　いい作品ができるかどうか心配だ

　c　いい作品ができなかった

2 彼はクラスのリーダーだけに、（　　　）。

　a　わたしは彼が好きだ　　　　b　頑張ってもらおう　　　　c　責任が重い

3 彼は営業の仕事をしているだけに、（　　　）。

　a　ほかの人より話すのが上手だ　b　営業マンと呼ばれている　　c　外回りの仕事をする

4 田中君は海に近い村で育っただけに、（　　　）。

　a　魚の名前をよく知っている　　b　魚の名前はあまり知らない

　c　海のお土産を持ってきてくれた

4

1 バスに（　　　　）ばかりに、予定の新幹線に乗れなかった。
　a 乗り遅れの　　　　　　　　b 乗り遅れて　　　　　　　c 乗り遅れた

2 木村氏は記者会見の時、一言多かったばかりに、（　　　　）。
　a 信用をなくしてしまった　　b すっかり人気者になった　　c すぐに言い直した

3 外国で、その国の言葉が話せないばかりに、（　　　　）。
　a ガイドを頼んで通訳してもらった　　　b 外国語をしっかり勉強しようと思った
　c 高い買い物をしてしまった

4 弟はジェットコースターに乗りたいばかりに、（　　　　）そうだ。
　a 遊園地が好きなのだ　　　　b どの遊園地がいいか考えている
　c 2時間も並んで待った

5

1 A社の社長が来るからには、（　　　　）。
　a 一緒にゴルフをしよう　　b 我々もしっかり準備をしよう　c うちの社長は緊張している

2 君がそこまで言うからには、（　　　　）。
　a 何か理由があるんだろうね　b 僕はわかったよ　　　　c みんなが理解できたよ

3 入館料を1,000円払った以上、（　　　　）。
　a おつりをもらえませんか　　b しっかり見学しよう　　c さあ、入館できる

4 子供を預かる上は、（　　　　）。
　a 責任を持たなければならない　b 楽しくなると思う　　c いろいろ準備をした

1〜5

1 この町は人口が少ない（　　　　）、個人的なことがみんなに知られてしまう。
　a ことだから　　　　　　　b 以上は　　　　　　　　c だけに

2 外は寒い（　　　　）、建物の中でタクシーが来るのを待ちましょう。
　a だけに　　　　　　　　　b ことだし　　　　　　　c からには

3 大きな仕事を引き受けた（　　　　）、最後まで頑張らなければいけない。
　a だけに　　　　　　　　　b ばかりに　　　　　　　c からには

4 彼女はモデルになりたい（　　　　）、無理なダイエットをしているそうだ。
　a ばかりに　　　　　　　　b からには　　　　　　　c ことだし

5 ここは禁煙席（　　　　）、ここでのおたばこはご遠慮願います。
　a のことだから　　　　　　b ですので　　　　　　　c だけに

18課 〜できない・困難だ・〜できる

〔復習〕・あの人の話は信じられない。

・この文は複雑でわかりにくい。

・社長室に一人ではちょっと入りづらいですよ。

---

1 〜がたい

⇒〜することが難しい・〜できない。

①あの優しい彼がそんなひどいことをしたとは信じがたい。

②この料理は何とも言いがたい初めての味だ。

③留学中、自分の国では得がたい経験をたくさんした。

🩹 動ます ＋がたい

⚠️ 能力的にできないという意味では使わない。主に心の働きを表す動詞(想像する・理解する・信じるなど)や発言を表す動詞(言う・表すなど)につく。

---

2 〜わけにはいかない・〜わけにもいかない　　　　→25課-4

⇒社会的常識に反する・心理的抵抗があるなどの事情があって、〜できない。

①病気の子供を一人家において、仕事に行くわけにはいかない。

②いくらお金に困っていても、そんな大金をあなたから借りるわけにはいかない。

③もう終電は終わってしまった。会社に泊まるわけにもいかず、困っている。

🩹 動辞書形 ＋わけにはいかない・わけにもいかない

⚠️ 能力的にできないという意味では使わない。主語はふつう一人称。

---

3 〜かねる

⇒その状況・その条件・話者の立場では〜できない。

①メールでのご質問だけでは診断しかねます。一度病院にいらっしゃってください。

②あなたの気持ちも理解できますが、その案には賛成しかねます。

③子供が泣いているのを見かねて、結局宿題を手伝ってやった。

🩹 動ます ＋かねる

⚠️ 能力的にできないという意味では使わない。丁寧に断る場合などに使う。

---

4 ～ようがない

⇒～したくても、どのようにしたらいいかわからない・可能性が全くない。

①彼の連絡先がわからないので、このニュースを知らせたくても知らせようがない。

②実力はあるのだから、今回の結果には運がなかったとしか言いようがない。

③選手たちの今日の試合での活躍はとても素晴らしく、文句のつけようがない。

④駅からここまではまっすぐ歩いてくるだけだから、迷いようがないと思うけどね。

⑤これだけしっかり準備したのだ。悪い結果になりようがないだろう。

✎ 動 ます ＋ようがない

⚠ 方法が全くないという意味、または「～はずがない」という意味で使う。不可能であるというニュアンスを強調する。

5 ～どころではない

→12課-2

⇒～できる状況ではない。

①仕事が忙しくて、旅行どころではない。

②隣のテーブルの人たちがうるさくて、ゆっくり食事を楽しむどころではなかった。

③当時はお金がなかったのでどこかへ遊びに行くどころではなく、毎日アルバイトをしていた。

✎ 名 ・ 動 辞書形 ＋どころではない

⚠ 余裕がないという事情（お金がない・時間がない・うるさい・病気など）のため、期待していることや想像していることが全くできないという意味で使う。

6 ～得る／～得ない

⇒～できる・その可能性がある／～できない・その可能性がない。

①がんはだれでもかかり得る病気だ。

②経済の成長と環境保護は両立し得るはずだ。

③人間が100メートルを5秒で走るなんてあり得ない話だ。

✎ 動 ます ＋得る・得ない

⚠ 特定の人の日常的な能力（例：英語が話せる）や状況的可能（例：酒を飲んでいないから運転できる）について言うときは使いにくい。「得る（肯定形）」は「える・うる」の二つの読み方があるが、ここでの使い方（補助動詞）では「うる」と読むことが多い。否定形は「えない」。

1 これは思い出のシャツなので、(　　　)がたい。

   a 捨てる　　　　　　　　　　b 捨て　　　　　　　　　　c 捨てて

2 うちの子供はまだ(　　　)。

   a 歩きがたい　　　　　　　　b 歩きにくい　　　　　　　c 歩けない

3 この靴は(　　　)。

   a 歩きがたい　　　　　　　　b 歩きにくい　　　　　　　c 歩けない

4 みんなの信頼を裏切るなんて、(　　　)ことだ。

   a 許しがたい　　　　　　　　b 許しにくい　　　　　　　c 許しづらい

1 みんなが残って頑張っているのだから、わたしだけ(　　　)わけにはいかない。

   a 帰る　　　　　　　　　　　b 帰れる　　　　　　　　　c 帰らない

2 (　　　)ので、今週末はドライブに行くわけにはいかない。

   a 急ぎの仕事を頼まれた　　　b 天気が悪そうな　　　　　c 車を持っていない

3 (　　　)ので、早く結婚したくてもするわけにはいかないんです。

   a まだ相手がいない　　　　　b 一人でいるのが好きな　　c まだ仕事が決まらない

1 せっかくですが、この仕事は(　　　)かねます。

   a 引き受ける　　　　　　　　b 引き受け　　　　　　　　c 引き受けられ

2 (　　　)、こちらではお答えしかねます。

   a この問題はとても難しくて　　b それは個人情報ですから

   c 質問の意味がわからないので

3 太郎は練習の厳しさに耐えかねて、(　　　)。

   a サッカー部を辞めてしまった　　b サッカー部に入りたがっている

   c サッカー部のレギュラー選手になった

1 東京は人が多いので、渋滞や混雑は(　　　)ようがない。

   a 避ける　　　　　　　　　　b 避け　　　　　　　　　　c 避けられ

2 日本語の勉強を始めたばかりのトムさんには(　　　)だろう。

   a 難しい漢字は書けない　　　　b 難しい漢字の書きようがない

   c 難しい漢字を書けようがない

3　おいしそうなお弁当だったけど、（　　　　）ので、食べようがなかった。

　　a　はしもスプーンもなかった　　　b　おなかが痛かった　　　　　c　時間がなかった

5

1　趣味はスキーだが、去年はずっと忙しくて、スキーに（　　　　）どころではなかった。

　　a　行く　　　　　　　　　　　　　b　行ける　　　　　　　　　　c　行った

2　（　　　　）、仕事どころではない。

　　a　内容が難しくて　　　　　　　　b　熱があって　　　　　　　　c　給料が安くて

3　（　　　　）、この本を読むどころではなかった。

　　a　来客があって　　　　　　　　　b　字が小さくて　　　　　　　c　眼鏡がなくて

4　のどが痛くて、（　　　　）どころではない。

　　a　カラオケで歌う　　　　　　　　b　小さい声を出す　　　　　　c　薬を飲む

6

1　危機はチャンスにも（　　　　）得る。

　　a　なる　　　　　　　　　　　　　b　なり　　　　　　　　　　　c　なれ

2　どんな場合でも事故は（　　　　）。

　　a　起これる　　　　　　　　　　　b　起こることができる　　　　c　起こり得る

3　この子はまだ（　　　　）。

　　a　字を読み得ない　　　　　　　　b　字が読めない

　　c　字を読むことができ得ない

1〜6

1　風邪を引いたので、学校に（　　　　）。

　　a　行けません　　　　　　　　　　b　行きかねます　　　　　　　c　行きがたいです

2　夜遅くなり、わたしは子供の帰りを（　　　　）、駅まで迎えに行った。

　　a　待ち得なくて　　　　　　　　　b　待ちようがなくて　　　　　c　待ちかねて

3　サラダは野菜を切って混ぜるだけだから、だれでも（　　　　）。

　　a　失敗のしようがない　　　　　　b　失敗できない　　　　　　　c　失敗しかねる

4　雨が降っているので、散歩に（　　　　）。

　　a　行きがたい　　　　　　　　　　b　行くわけにはいかない　　　c　行けない

5　歌手になるのは難しいとわかっているが、会社も辞めてしまったのだから、（　　　　）。

　　a　あきらめようがない　　　　b　あきらめるわけにはいかない　c　あきらめがたい

19課 〜を見て評価すると・〜の立場で評価すると

〔復習〕 ・80歳という年齢を考えると、うちの祖父は若々しい。

・教師の立場から言うと、素直な生徒の方が扱いやすいのだろう。

1 〜わりに(は)

⇒〜という基準から考えられる程度と違っている。

①このお菓子は値段のわりには量が少ない。

②この料理は安い材料で簡単にできるわりには豪華に見える。

③ゆき子さんは若いわりにしっかりしている。

✎ 名-の・動・形 普通形(ナ形 だ -な/-である) +わりに(は)

⚠ 意味や程度に幅がある言葉(年齢・値段・心配する・若いなど)につく。後には、予想される程度とは合わないという評価を言う文が来る。

2 〜にしては

⇒〜という事実・標準から考えると、予想外だ。

①今日は2月にしては暖かかった。

②このかばんは、1,000円にしては丈夫で、デザインもいい。

③このケーキ、子供が作ったにしてはおいしくできていますね。

✎ 名・普通形(ナ形 だ -である・名 だ -である) +にしては

⚠ 幅がなく、ある特定のこと(2月・1,000円・子供が作ったなど)につくことが多い。後には、予想されることと違うという評価を言う文が来る。

3 〜だけ(のことは)ある

⇒〜という条件から期待されるとおりだ。

①素晴らしいマンションだ。家賃が高いだけのことはある。

②彼は10年も日本に住んでいるだけあって、日本のことをよく知っている。

③さすがオリンピックだけあって、見事な試合が見られた。

✎ 名・普通形(ナ形 だ -な) +だけ(のことは)ある ＊名 だの形には接続しない。

⚠ 「〜だけあって」の後には、評価が高いことを表す文が来る。未来や推量を表す文は来ない。

4 ～として

⇒～という立場・資格・役割・名目で、あることをする・ある状態である。

①彼は選手を引退した後、コーチとしてチームのために働いた。

②コーヒーはもともと薬として飲まれていた。

③京都は日本の歴史的な古い町として知られている。

④子供の安全に気をつけることは親として当然だ。

⑤写真は趣味じゃないんです。仕事としてやっているんです。

🖊 名 ＋として

⚠ 後には、行為・状態を表す動詞、価値付けの言葉(知られている・有名だなど)や判断・評価を表す言葉(当然だ・恥ずかしいなど)が来る。

5 ～にとって

⇒(いろいろな考え方がある中で)～の考えでは、あることが言える。

①今のわたしにとって一番大切なのは家族です。

②現代人にとってパソコンはなくてはならない道具である。

③この小石はほかの人にとっては普通の石ですが、わたしにとっては宝物なのです。

🖊 名 ＋にとって

⚠ 主に人を表す名詞につく。後には、その人がどう評価しているかを表す文(主に形容詞の文)が来る。動作を表す文は来ない。

6 ～にしたら・～にすれば・～にしてみれば・～にしても →15課-6

⇒～の立場になってみれば・～の立場から言っても、あることが言える。

①君もいろいろ言われて面倒だろうが、君のお母さんにしたら、君のことが心配なんだよ。

②たばこを吸う人にすれば、たばこの害についての話題は避けたいだろうと思う。

③新しい高速道路ができて便利になったが、沿線の住民にしてみれば、あまりありがたくはないかもしれない。

④わたしは早く家を出たい。両親にしても息子には自立してほしいと思っているようだ。

🖊 名 ＋にしたら・にすれば・にしてみれば・にしても

⚠ ふつう、話者以外の人を表す言葉につく。後には、その人の立場に立って、その人の気持ちを推量して言う文が来る。

1

1 この寺は（　　　）わりには観光客が少ない。

  a 有名　　　　　　　　　　b 有名な　　　　　　　　　　c 有名だ

2 （　　　）わりにいい成績が残せた。

  a ３時間練習した　　　　　b たくさん練習した　　　　　c あまり練習しなかった

3 期待したわりには（　　　）。

  a 点数に満足できた　　　　b 点数は良くなかった　　　　c 点数は80点以上だった

4 この事件は、新聞で騒がれたわりには（　　　）。

  a 知らない人が多い　　　　b 知らない人がいた　　　　　c わたしは知らなかった

2

1 いつも派手な服を着ているさゆりさんにしては、（　　　）。

  a 服をたくさん持っている　　b 今日はすてきな服を着ている　c 今日の服はシンプルだ

2 彼女は今日初めてテニスをしたのだそうだ。初めてにしては、（　　　）。

  a 上手だ　　　　　　　　　b うまくない　　　　　　　　c 今日の試合で勝った

3 ジョンさんは試験に合格したにしては、（　　　）。

  a 大喜びしている　　　　　b うれしくなさそうだ　　　　c 国へ帰ってしまった

3

1 たくさん練習しただけあって、（　　　）。

  a きっと素晴らしい発表だろう　b 素晴らしい発表だった　　c 緊張はしなかった

2 あの学校は町の中心から離れているだけあって、（　　　）。

  a 静かで環境がいい　　　　b 遠くて不便だ　　　　　　c 通うのに時間がかかる

3 あの人は若いだけあって、（　　　）。

  a きっと困難を乗り越えられる　b 考え方が子供っぽい　　c 仕事を覚えるのが早い

4

1 わたしは（　　　）として日本に来た。

  a 留学生　　　　　　　　　b 仕事　　　　　　　　　　c 観光

2 新聞紙は（　　　）として再利用されます。

  a ごみ　　　　　　　　　　b 資源　　　　　　　　　　c もったいない

3 彼は才能ある建築家として（　　　）。

  a 劇場の設計が専門だ　　　b この劇場が代表作だ　　　c 高く評価されている

5

1 父にとって（　　　　）。

　　a 仕事が好きだった　　　　　　b よく仕事を続けた　　　　　　c 仕事は人生そのものだった

2 君にとって（　　　　）、考えたことはありますか。

　　a 何が大切か　　　　　　　　　b 何を大切にしているか

　　c 大切にしているものは何か

6

1 わたしはフルタイムで働きたいし、夫（　　　　）、そのほうが心強いだろう。

　　a にしたら　　　　　　　　　　b にしても　　　　　　　　　　c にしては

2 わたしは商品の売り込みの電話はすぐ切ってしまうが、営業マンにすれば（　　　　）。

　　a なるべく長く話したいだろう　b 早く話を終わらせたいだろう

　　c それはありがたいことだろう

1～6

1 ここは幼稚園（　　　　）、にぎやかな子供の声が聞こえない。

　　a のわりには　　　　　　　　　b にしては　　　　　　　　　　c だけあって

2 実験の回数（　　　　）正確なデータは得られなかった。

　　a にしたら　　　　　　　　　　b にとって　　　　　　　　　　c のわりに

3 子供のころのわたし（　　　　）親は神様だった。

　　a としては　　　　　　　　　　b にしては　　　　　　　　　　c にとっては

4 勉強時間（　　　　）成績は上がらなかった。

　　a のわりには　　　　　　　　　b にしては　　　　　　　　　　c だけあって

5 この町はしょうゆの産地（　　　　）有名である。

　　a にとって　　　　　　　　　　b として　　　　　　　　　　　c にしたら

6 農家の人（　　　　）米の値段をもっと上げてほしいだろう。

　　a にしては　　　　　　　　　　b にしたら　　　　　　　　　　c にとって

7 よう子さんは医学を勉強した（　　　　）、健康についての知識が豊富だ。

　　a わりに　　　　　　　　　　　b にしては　　　　　　　　　　c だけあって

8 わたしは田中さんを先輩（　　　　）尊敬しているが、結婚相手とは考えていない。

　　a としては　　　　　　　　　　b にとっては　　　　　　　　　c だけあっては

20課 結果はどうなったか

〔復習〕 ・窓を開けると雪が降っていた。

・電話で問い合わせてみたら、彼女はもう日本にはいないという返事だった。

・子供が朝家を出たまま、まだ帰ってこない。

1 〜たところ

⇒〜してみたら、ある結果になった・ある状態がわかった。

①2、3日休みたいと課長に相談したところ、2週間休んでもいいと言われた。

②連絡がとれないのでリーさんのうちへ行ってみたところ、病気で寝ていた。

③この新商品を使ってみたいかどうか聞いてみたところ、80%の人が「使いたい」と答えた。

🐛 動 た形 ＋ところ

⚠ 過去の一度だけの出来事について言う。後には、結果を表す文が来る。「〜たら…た」という形の文に比べて、結果はどうだったかに重点を置いている。

2 〜きり

⇒〜という動作の後、そのままずっと同じ状態が続く。

①その本は、子供のころ読んだきり、その後一度も読んでいない。

②父は朝、出かけたきりなんです。まだ戻ってきていません。

③日本は長寿国だが、寝たきりの老人の数も多い。

④彼に最後に会ったのは卒業式の時です。それきり、一度も会っていません。

🐛 動 た形 ＋きり

⚠ 後には、次に予想されることが起きていない状態を表す文が来る。否定文が多い。④の「それきり」は慣用的な言い方。

3 〜あげく

⇒いろいろ〜した後で、結局残念な結果になった。

①5時間に及ぶ議論のあげく、結局、結論が出なかった。

②いろいろ文句を言ったあげく、その客は何も買わずに帰った。

③さんざん悩んだあげく、国へ帰ることにした。

🐛 名 −の・動 た形 ＋あげく

⚠ 大変な状態が続いたという意味の文につく。後には、いい結果を表す文はあまり来ない。

4 〜末（に）

⇒いろいろ〜した後で、最終的にある結果になった。

①数回におよぶ議論の末、Aの案を採用することにした。

②長い戦いの末、ついに勝利を勝ち取った。

③悩んだ末に、手術を受けようと決めた。

🔖 名 –の・動 た形 ＋末（に）

⚠ 大変な状態が続いたという意味の文につく。後には、結末や決断を表す文が来る。

5 〜ところだった

⇒〜という状況になる一歩手前だったが、実際にはそうならなかった。

①あ、今日は15日か。うっかり約束を忘れるところだった。

②気をつけてくださいよ。気がつくのが遅かったら火事になるところでしたよ。

③朝寝坊して、危うく試験が受けられないところだった。

④ああ、残念だ。もう少しで100点取れるところだったのに、97点だった。

🔖 動 辞書形/ない形 ＋ところだった

⚠ 「うっかり・危うく」などの副詞と一緒に使って、悪い状況になりそうだったことを表す文が多いが、④のように「〜のに」を使って、いい状況の一歩手前だったことを表す文もある。自然現象など、（注意しても）避けられない事情を言う文には使いにくい。

6 〜ずじまいだ

⇒〜ようと思っていたのに、結局できなかった・〜ないで終わった。

①いろんな人に聞いてみたが、結局田中さんの連絡先はわからずじまいだった。

②彼女にラブレターを書いたけれど、勇気がなくて出せずじまいだった。

③留学中に旅行したかったが、忙しくてどこへも行かずじまいで帰国した。

🔖 動 ない ＋ずじまいだ ＊例外 する→せず

⚠ 全体として、時期を逃してしまったという残念な気持ちを表す。過去形の文が多い。まだチャンスがある場合には使わない。

1

1 (　　　)ところ、気分が悪くなってしまった。

　a 買ってきた薬を飲んだ　　　b 仕事で疲れた　　　　　　c 一日中暑かった

2 緊急の会議をするという連絡を受けて急いで会社に戻ったところ、(　　　)。

　a 会議はもうすぐ始まる　　　b 会議はもう始まっていた　　c 会議に出ることにした

3 メールを送ったところ、(　　　)。

　a すぐに返事がもらえるだろう　b すぐに返事が来た　　　　c 返事はまだだ

4 なかなか売れないので値段を下げたところ、(　　　)。

　a あっと言う間に売り切れた　　b 全部売り切れるはずだ　　c 全部売ってしまった

2

1 この果物は(　　　)きり、ずっと食べていない。

　a 国を出るとき食べた　　　　b 国では毎日食べた　　　　c 国では手に入らなかった

2 新しい本を買ったきり、(　　　)。

　a 汚してしまった　　　　　　b 2回しか読んでいない　　c ページを開いてもいない

3 友達にお金を貸したきり、(　　　)。

　a やっと返してもらった　　　b 返してもらっていない　　c あした返すと言っている

3

1 彼は(　　　)あげく、弁護士になるのをあきらめてしまった。

　a 試験に落ちた　　　　　　　b 妻と相談した　　　　　　c 10年も勉強を続けた

2 さんざん人に迷惑をかけたあげく、(　　　)。

　a 彼は成功した　　　　　　　b 彼の姿が見えない　　　　c 彼はいなくなってしまった

3 わたしは(　　　)あげく、再婚はしないことにした。

　a 迷った　　　　　　　　　　b 離婚した　　　　　　　　c 彼と出会った

4

1 (　　　)末に、やっと今の会社に落ち着いた。

　a 退職した　　　　　　　　　b 転職を繰り返した　　　　c 就職した

2 (　　　)末に、チベットに行くことにした。

　a その本を読んだ　　　　　　b あれこれ考えた　　　　　c チベットの映画を見た

3 あちこち面接を受けた末に、(　　　)。

　a やっとこの会社に合格した　b あの会社にどうしても入りたい

　c まだ就職が決まっていない

4 両親や先生とも話し合った末に、（　　　　）。

  a 留学したい   b 来年留学する   c 留学することに決めた

5

1 あの時は危なかった。　もう少しで（　　　　）ところだった。

  a 死ぬ   b 死んだ   c 死にそうな

2 ぼんやりと歩いていて、（　　　　）ところだった。

  a 車にぶつかる   b 駅に着く   c 昔のことを思い出す

3 危うく予定の電車に乗り遅れるところだったが、（　　　　）。

  a タクシーで行った   b なんとか間に合った   c やはり遅れた

4 ああ、よかった。もう少しで（　　　　）ところだった。

  a 雨が降る   b 台風が来る   c 携帯電話を忘れる

6

1 あの映画は（　　　　）、忙しくて見ずじまいだった。

  a 見たかったが   b 見ようと思っているが   c まだ公開しているが

2 マレーシアに行ったらリーさんに会おうと思っていたが、会わずじまいで（　　　　）。

  a 来週会うことになった   b 帰国した

  c なかなか帰国できなかった

3 （　　　　）、結局買わずじまいだった。

  a 洋服屋を見て回ったが   b 辞書が必要なのだが

  c 扇風機が安くなっているが

1～6

1 彼は一度メールをくれた（　　　　）、その後連絡がない。

  a あげく   b 末に   c きり

2 カレーにちょっとワインを入れてみた（　　　　）、とても味が良くなった。

  a ところ   b きり   c あげく

3 外国と日本とを行ったり来たりして迷った（　　　　）、日本で仕事を探すことにした。

  a ところ   b きり   c あげく

4 母はさんざん苦労した（　　　　）、ついに幸せを見つけた。

  a きり   b 末に   c ところ

5 ジョギングシューズを持ってハワイに行ったが、結局（　　　　）。

  a はいたきりだった   b はかずじまいだった   c はくところだった

次の文の（　　　　）に入れるのに最もよいものを、1・2・3・4から一つ選びなさい。

1　メール（　　　　）コミュニケーションには、ある種の危険性が伴うと思う。

1　による
2　によって
3　といった
4　といって

2　日本の歴史について知らないのでは、日本人（　　　　）恥ずかしい。

1　といって
2　にしては
3　といっても
4　として

3　この映画は、難しいタイトル（　　　　）内容はわかりやすい。

1　にしたら
2　にしても
3　のわりには
4　だけに

4　赤ちゃん（　　　　）寝ることは仕事だ。

1　のことだから
2　のことだし
3　にとって
4　によって

5　本日は定休日（　　　　）休業させていただきます。

1　につけて
2　につけ
3　について
4　につき

6　間違ってほかの人にメールを送ってしまった（　　　　）、とんでもない誤解をされた。

1　ばかりか
2　ばかりに
3　ばかりで
4　ばかり

7　自分でこの犬を飼うと（　　　　）、責任を持って面倒をみなければならない。

1　言った以上
2　言った上に
3　言った末に
4　言った上で

8　足の小指をぶつけて、（　　　　）飛び上がった。

1　あまりの痛さに
2　あまりに痛さで
3　痛いあまりで
4　痛さあまりに

9 この天気では、今日はハイキングには（　　　　　）。
1　行き得ない　　　　　　　　　　2　行けない
3　行きかねる　　　　　　　　　　4　行きがたい

10 山田さんとはだいぶ前に一度駅で（　　　　　）会っていない。元気だろうか。
1　すれちがったまま　　　　　　　2　すれちがったきり
3　すれちがった限りで　　　　　　4　すれちがった限り

11 明日は大切な試験の日なので、（　　　　　）。
1　休むわけにはいかない　　　　　2　休むというわけがない
3　休むことにはいかない　　　　　4　休むというものではない

12 長時間いろいろと話し合ったあげく、（　　　　　）。
1　どんな結論でしたか　　　　　　2　いいことを思いついた
3　結論は出なかった　　　　　　　4　会議は終わった

13 上手に説明ができなくてもしかたがないよ。まだ（　　　　　）。
1　子供のことなんだ　　　　　　　2　子供のものなんだ
3　子供なんだこと　　　　　　　　4　子供なんだもの

14 ああ、気がついて良かった。危うく降りる駅を（　　　　　）。
1　間違えるところだった　　　　　2　間違えたところだった
3　間違えるどころではなかった　　4　間違えたどころではなかった

15 辞書がなくてその漢字が正しいかどうか（　　　　　）、うっかりそのままにしてしまいました。
1　確かめようがなかったところ
2　確かめるようにしなかったところ
3　確かめようがなかったもので
4　確かめるようにしなかったもので

21課 強く言う・軽く言う

〔復習〕 ・今年こそ日記を書き続けよう。

1 ～ぐらい・～くらい

⇒～は程度が軽い・最低限の程度だ。

①うちに帰ってきたら、自分の靴ぐらいちゃんと並べなさい。

②この携帯電話は、ちょっとぐらいならぬれても大丈夫です。

③少し話したくらいで、その人がどんな人かはわからないだろう。

🖉 名 ・ 動・形 普通形（ナ形 だ‐な） ＋ぐらい・くらい

⚠ 話者が程度が軽いと考えている言葉につく。名詞につく場合は「ぐらい」を使うことが多い。

2 ～など・～なんか・～なんて

⇒～は価値が低い・大切ではない。「～なんか・～なんて」→ 話し言葉

①あの人の言ったことなど気にすることはありません。

②新聞記者になんかならなければよかった。仕事がきつすぎる。

③桜井さんは文章がとてもうまい。わたしなんて簡単な文もちゃんと書けないのに。

🖉 名 (＋助詞) ＋など・なんか・なんて

⚠ 話者が価値が低いと考えている言葉につく。「～なんか・～なんて」はくだけた言い方。後には、否定的な表現を含む文や話者の意向・助言を表す文が来ることが多い。

3 ～まで・～までして・～てまで

⇒～という極端な程度のもの・ことも、ある状態だ・あることをする。

①一番に賛成してくれると思っていた母までわたしの結婚に反対した。

②カンニングまでしていい点を取りたかったのですか。

③遊園地では、みんな長い時間並んでまでジェットコースターに乗りたがる。

④家族や友人を悲しませるようなことをしてまで成功したいとは思わない。

🖉 名 (＋助詞) ＋まで・までして

動 て形 ＋まで

⚠ 極端で意外性のある例を示す言葉につく。「～までして・～てまで」は話者が驚いたりあきれたりするような手段・事態を示し、全体として、非難・疑問・驚きの気持ちを表す。

---

4 ～として～ない

⇒あることを「最低限度の～も全くない」と否定する。

①彼の提案にだれ一人として反対できなかった。

②人生に無駄なものは何一つとしてない。失敗も必ず何かの役に立つはずだ。

③彼女はこれまで一度として練習を休んだことはない。

🩹 (何・だれ＋) 一＋助数詞　＋として～ない

⚠ 最低の単位「一＋助数詞」につく。後には、否定文が来る。

---

5 ～さえ

A⇒～のような極端な例もそうだから、ほかのことはもちろんだ。

①日本に来たばかりのときは、ひらがなさえ読めなかった。

②仕事がとても忙しいときは、会社に泊まることさえある。

③この料理は簡単だ。料理の苦手なわたしでさえ失敗しなかった。

🩹 名 (＋助詞)　＋さえ

⚠ 程度が極端で意外性のある例を示す言葉につく。後には、話者の意向を表す文や働きかけの文は来ない。③の「でさえ」は「であっても」という意味。主格の「が」で表せる場合などに使う。

B⇒～という一つの条件が満たされれば、ほかのことは問題にならない。

④自分さえ良ければ、ほかの人のことはどうでもいいのか。

⑤雨さえ降らなければ、ハイキングに出かけられますね。

⑥年をとっても体さえ丈夫なら、ほかに望むことはない。

🩹 名 (＋助詞)　＋さえ

⚠ 「～さえ～ば・～さえ～なら・～さえ～たら」という形で必要最低限の条件を示す。

---

6 ～てでも

⇒普通はしないような～という手段を使う覚悟で、あることをする。

①娘が家に帰りたくないと言ったら、引っ張ってでも連れて帰ろう。

②熱があるが、大切な約束があるので、どんなことをしてでも行かなければならない。

③2倍の金額を払ってでもそのコンサートのチケットが欲しい。

🩹 動 て形　＋でも

⚠ 極端な手段を表す動詞につく。後には、話者の希望・意向を表す文が来る。

1

1　100メートル走ったくらいで（　　　　）なんて、運動不足だ。
　　a 疲れてしまった　　　　　　　b まだ走れる　　　　　　　　c もっと走ろう

2　メールの返事を1件書くくらい（　　　　）。
　　a 大変ですよ　　　　　　　　　b 簡単でしょう　　　　　　　c 1時間かかりました

3　わたしは（　　　　）くらいで薬は飲まない。
　　a 風邪を引いた　　　　　　　　b 病気になった　　　　　　　c 熱がない

2

1　お金など（　　　　）と思っていた時もあった。
　　a たくさん欲しい　　　　　　　b 必要ない　　　　　　　　　c どんどんなくなってしまう

2　カップラーメンなんか（　　　　）。
　　a 毎日は食べたくない　　　　　b 安くて便利でいい　　　　　c わたしは好きだ

3　漫画なんて（　　　　）。
　　a 大切にとっておけ　　　　　　b たくさん読んでみろ　　　　c 捨ててしまえ

3

1　（　　　　）までそのコンサートを見に行きたかったんですか。
　　a 親にうそをついて　　　　　　b 親に止められて　　　　　　c 親と相談して

2　昨日のマラソン大会には、（　　　　）まで参加した。
　　a 若い女性　　　　　　　　　　b 高校生　　　　　　　　　　c 90歳のお年寄り

3　うちの母は料理好きで、（　　　　）まで自分で作る。
　　a 晩ご飯　　　　　　　　　　　b 豆腐　　　　　　　　　　　c サラダ

4　お金を借りてまで車を（　　　　）。
　　a 買う必要はない　　　　　　　b 買いたい　　　　　　　　　c 買わなかった

4

1　今まで（　　　　）としてあの人のことを思い出さない日はなかった。
　　a 1日　　　　　　　　　　　　b 1週間　　　　　　　　　　c 1か月

2　今までの人生には何一つとして（　　　　）。
　　a 楽しいことばかりだった　　　b つらいことはなかった　　　c いい思い出がある

3　わたしは今まで何回も彼と試合をしているが、1回として（　　　　）。
　　a 負けた　　　　　　　　　　　b 勝った　　　　　　　　　　c 勝ったことはない

5

1 こんな簡単な機械は、(　　　)でさえ使える。
　　a 子供　　　　　　　　　b プロ　　　　　　　　c 大人

2 自分のことさえ自分でやれば、(　　　)。
　　a とてもいいことだよ　　　b あまりいいことではないよ
　　c 何でも好きなことをしていいよ

3 お金さえあれば、(　　　)。
　　a できないこともある　　　b 何でもできるのか　　　c 何もできないのか

4 あなたさえOKなら、(　　　)。
　　a この案は決まります　　　b この案は決まりません　　c わたしはOKしません

6

1 (　　　)でも医師の資格を取りたい。
　　a 10年間勉強して　　　b これからも勉強を続けて　　c 一生懸命勉強して

2 (　　　)でもあしたのサッカーの試合は見るつもりだ。
　　a 仕事をしなくて　　　b 仕事を休んで　　　c テレビの前に座って

3 (　　　)でもお金をもうけたいと言う人がいる。
　　a 他人より頑張って　　　b 他人に協力してもらって　　c 汚い手段を使って

4 病気ではないとうそをついてでも母を(　　　)。
　　a 安心させた　　　b 安心させたい　　c 安心させている

1〜6

1 昔のボーイフレンドのこと(　　　)あまり覚えていない。
　　a ぐらい　　　　　　　　　b なんか　　　　　　　　c こそ

2 小さい子供を(　　　)パチンコに行きたかったんですか。
　　a 連れてでも　　　　　　　b 連れてなど　　　　　　c 連れてまで

3 1回(　　　)事業に失敗しても、またやり直せる。
　　a ぐらい　　　　　　　　　b ほど　　　　　　　　　c として

4 わたしは1円(　　　)無駄に使いたくない。
　　a ぐらい　　　　　　　　　b ほど　　　　　　　　　c として

5 その人については名前(　　　)知らない。
　　a ぐらい　　　　　　　　　b さえ　　　　　　　　　c でも

Ⅲ 主観を述べる☆☆☆　22課　〔か〕〜だろうと思う

〔復習〕　・来年はもっと仕事が増えるだろうと思う。

　　　　・あしたは雨が降るかもしれない。

　　　　・リンさんは今日ここに来るはずだ。

1　〜とみえる

⇒ある根拠があって、〜らしい・〜ようだと思う。

①朝からパチンコに行くなんて、ずいぶん暇だとみえる。

②あまり食べないところを見ると、うちの猫はこのえさは好きではないとみえる。

③欲しい物はなかったとみえて、客は何も買わずにすぐ店を出てしまった。

🔗 普通形　＋とみえる

⚠ 主にほかの人の様子を見て、それを根拠に推量したことを表す文につく。推量した人は文中に表れない。

2　〜かねない

⇒〜という悪い結果になる可能性がある。

①大事なことはみんなに相談しないと、後で文句を言われかねませんよ。

②インターネット上では特に個人情報に注意していないと、悪用されかねない。

③うわさはどんどん変な方向へ発展していきかねない。

🔗 動 ます　＋かねない

⚠ 現在の状態から考えてマイナスの結果になるかもしれないという意味で使う。「〜おそれがある」よりも原因がはっきりしている。

3　〜おそれがある

⇒〜という悪いことが起こる可能性がある。　硬い言い方

①今夜から明日にかけて東日本で大雨のおそれがあります。

②「レッドデータブック」には、絶滅のおそれがある動植物について書かれている。

③機械で読み取れないおそれがあるので、郵便番号ははっきり書いてください。

④今後インフルエンザが広い範囲に広がるおそれはないだろう。

🔗 名 −の・動 辞書形/ない形　＋おそれがある

⚠ マイナスの事態になるかもしれないという意味で使う。ニュース、解説などで使う。

4 ～まい／～ではあるまいか →24課-⑤

⇒～ないだろう／～ではないだろうか。〈書き言葉〉

①何度も計算し直したのだから、間違いはあるまい。

②だれも信じてくれまいが、これは本当の話だ。

③あの子はまだ小さいから、一人で行かせては迷子になるまいかと心配だ。

④田んぼに住む生物が減ったのは、農薬の使いすぎが原因ではあるまいか。

⑤こんなやり方では大勢の人の協力を得るのは無理なのではあるまいか。

⑥このまま何もしないでいたら、いつまでも問題は解決しないのではあるまいか。

🖊 動辞書形*・イ形くある・ナ形 –ではある・名 –ではある ＋まい

普通形＋の (ナ形 だ /–なの・名 だ /–なの)　＋ではあるまいか

＊動Ⅱ・Ⅲ→動辞書形/ ない ＋まい　する→「すまい」もある

⚠ 丁寧形・過去形では使わない。ふつう、一人称が主語になることはない。「～ではあるまいか」は問いかけの形で話者の推量や意見を遠回しに言う言い方。

5 ～に違いない・～に相違ない

⇒ある根拠があり、きっと～だろうと確信を持って思う。「～に相違ない」→硬い言い方

①彼女はおしゃれだから、パーティーにはきっとすてきな服を着てくるに違いない。

②日本に1年住んでいるのだから、彼も少しは生活に慣れたに違いない。

③そんな山の中に住んでいて車もなかったら、生活が不便に違いない。

④彼があれだけ強く主張するのは、何かはっきりした証拠があるからに相違ない。

🖊 普通形 (ナ形 だ /–である・名 だ /–である)　＋に違いない・に相違ない

⚠ ④のように「普通形＋から」に接続する例もある。

6 ～にきまっている

⇒絶対に～だと思う。(話し言葉)

①あの子の言うことなんかうそにきまっているよ。

②勝手にお父さんの車を使ったりしたら、しかられるにきまっている。

③こんな派手な色のお菓子、体に悪いにきまっています。

🖊 普通形 (ナ形 だ・名 だ)　＋にきまっている

⚠ 「～に違いない」と違って、「だれが考えても～だ」と主観的・直感的に言う言い方。

1 (　　　　)風邪を引いたとみえて、せきをしていた。

　　a わたしは　　　　　　　　b 山口さんは　　　　　　　c あなたは

2 夜中に雨が降ったとみえて、(　　　　)。

　　a 道路がぬれている　　　　b 今日はいい天気だ　　　　c 天気予報でそう言った

3 木村さんは朝から機嫌がいい。(　　　　)とみえる。

　　a 何だか楽しそう　　　　　b にこにこしている　　　　c 何かいいことがあった

1 正しい表現を使わなければ、間違った意味を(　　　　)かねない。

　　a 伝える　　　　　　　　　b 伝え　　　　　　　　　　c 伝えて

2 こんなに買い物ばかりしていたら、給料日までにお金が(　　　　)。

　　a なくなりかねない　　　　b 少しだけありかねない　　c 足りかねない

3 こんなところにかばんを置いておいたら、だれかに(　　　　)。

　　a とられかねる　　　　　　b とられかねない　　　　　c とられかねられない

4 音楽を聞きながら仕事をすると(　　　　)。

　　a 気分が明るくなりかねない　b 仕事がどんどん進みかねない　c 眠くなりかねない

1 梅雨の間に雨が十分降らなければ、夏に水不足に(　　　　)おそれがある。

　　a なりそうな　　　　　　　b なる　　　　　　　　　　c なるかもしれない

2 この病気は魚に特有のもので、人が食べても(　　　　)おそれはありません。

　　a うつる　　　　　　　　　b うつらない　　　　　　　c 体に悪い

3 歯を抜いた後(　　　　)おそれがあります。

　　a 食欲がない　　　　　　　b 熱が高い　　　　　　　　c 熱が出る

4 こんなに人が大勢いる所では子供が(　　　　)おそれがある。

　　a 迷子になる　　　　　　　b お父さんと遊んでいる　　c 大喜びする

[4]

1 外国のこんな小さな村では（　　　）まいと思ったのだが、予想外だった。
　a 日本語を耳にすることはある　　b わたしは仕事を探す　　　　　c わたしは家を買う

2 彼から来るはずの連絡がない。事故にでも（　　　）。
　a あったではあるまい　　　　　b あったではあるまいか　　　　c あったのではあるまいか

3 パソコンから変な音がする。（　　　）。
　a 故障しまいか　　　　　　　　b 故障したのではあるまい　　　c 故障したのではあるまいか

[5]

1 えみさんは今日なんだか元気がない。何かあった（　　　）。
　a に間違いない　　　　　　　　b に違いはない　　　　　　　　c に違いない

2 税金問題に関心が高まっているため、今回の投票率は（　　　）に相違ない。
　a 高くなる　　　　　　　　　　b 高くなるだろう　　　　　　　c 高くなりそう

3 これは（　　　）に相違ない。
　a 甘くておいしいりんご　　　　b 環境保護のための有効な手段
　c お母さんが作ってくれたお弁当

[6]

1 兄が選んだ女性なんだから、絶対に（　　　）にきまっている。
　a すてき　　　　　　　　　　　b すてきの　　　　　　　　　　c すてきな

2 こんなにたくさんの仕事、1日では（　　　）にきまっている。
　a できないかもしれない　　　　b できそうもない　　　　　　　c できない

[1～6]

1 あしたは大雨が（　　　）ため、注意が必要です。
　a 降るおそれがある　　　　　　b 降るとみえる　　　　　　　　c 降りかねない

2 今日（　　　）荷物がまだ届かない。
　a 届くに違いない　　　　　　　b 届くはずの　　　　　　　　　c 届くにきまっている

3 最近夫は一人で黙っていることが多い。何か悩みごとが（　　　）。
　a あるのではあるまい　　　　　b あるに違いない　　　　　　　c ありかねない

4 宝くじを買った。どうせ（　　　）とは思ったが……。
　a 当たるまい　　　　　　　　　b 当たるに違いない　　　　　　c 当たらないおそれがある

5 このままのペースで仕事を進めると、8月中に（　　　）。
　a 終わらないとみえる　　　　　b 終わりかねない　　　　　　　c 終わらないおそれがある

〔復習〕 ・これはいい作品だと思います。

---

1 〜ものだ

→24課-③、26課-②

⇒一般的に見て、本来〜だ・〜というのは真理だ。

①自分では気がつきにくいが、どんな人にもくせがあるものだ。

②人間というのは本来一人では生きられないものだ。

③彼は大会社の社長なのだそうだ。そうは見えなかった。人は外見だけではわからないものだ。

✎ 動辞書形/ない形・イ形い・ナ形な ＋ものだ

⚠ 過去形では使わない。主語は個別のものではなく総称的なもの（人間・親・世の中など）。

---

2 〜というものだ

⇒常識的に見て、まさに〜だ。

①今日中にアメリカまで荷物を届けろと言われても、それは無理というものだ。

②他人の物を断りもなく使うなんて、あつかましいというものだ。

③出版した本の評判がいいそうだ。苦労したかいがあったというものだ。

✎ 普通形（ナ形だ・名だ） ＋というものだ

⚠ ある状況について、「常識的に考えて〜だ」という評価を示す。話者の感情を表す言葉には使わない。

---

3 〜にすぎない

⇒ただ〜だけで、それ以上ではない。

①調査では、お米を全く食べないと答えた人は1.2%にすぎなかった。

②一社員にすぎないわたしに、会社の経営のことなど決められない。

③お礼なんてとんでもない。わたしは当たり前のことをしたにすぎません。

✎ 名・普通形（ナ形だ–である・名だ–である） ＋にすぎない

⚠ 話者が特別ではない・重要ではない・少ないと思っていることにつく。

---

4 〜にほかならない

⇒〜だ。それ以外ではない。硬い言い方

①将来この国を支えるのは、若い君たちにほかなりません。

②人間も自然の一部にほかならないということを忘れてはならない。

③このような証言ができるのは、本人が実際に犯行現場にいたからにほかならない。

📎 名 ＋にほかならない

⚠ 話者の断定的な判断を表す言い方。③のように「普通形＋から」に接続する例もある。

5　〜に越したことはない

⇒当然のことだが〜ほうがいい。

①値段に関係なく質のいいものを買いたいが、安く買えるに越したことはない。

②旅行の荷物は軽いに越したことはない。

③ふだん使う道具の使い方は簡単であるに越したことはない。

📎 普通形現在（ナ形 だ –である・名 だ –である）　＋に越したことはない

⚠ 「絶対的にそうでなければいけないというほどではないが、そのほうがいい」という判断を表す。

6　〜しかない・〜よりほかない

⇒〜以外に選択肢・可能性・方法がない。

①この道は一方通行だから、戻りたくてもまっすぐ行くしかない。

②会議で企画の中止が決まったなら、この決定を受け入れるよりほかないでしょう。

③ずっと欲しかったかばんがセールで半額になっている。これは買うしかない。

📎 動 辞書形　＋しかない・よりほかない

⚠ 「ほかに選択の余地がないので、仕方なくこの選択肢を選ぶ」という話者の気持ちを表す。または、③のように、積極的にこの選択肢を選ぶという気持ちでも使う。

7　〜べきだ／〜べきではない

⇒〜するのが当然だ・〜しなければならない・〜したほうがいい／〜してはいけない。

①今日できることは明日に延ばさず今日するべきだ。

②もう会えないなら、彼の連絡先を聞いておくべきだった。

③すべての国民の幸せを目指すのが、政治の本来あるべき姿である。

④そんな質問は、初めて会った人にすべきではない。

📎 動 辞書形　＋べきだ・べきではない　　＊例外　する→するべき・すべき

　　動 辞書形　＋べき・べきではない＋名

⚠ 話者の主張を述べる。規則で決まっていることには使わない。目上の人には直接使わないほうが良い。

1 赤ちゃんは（　　　）ものだ。そんなに心配する必要はない。

　　a 泣くという　　　　　　　b 泣く　　　　　　　　　c 泣いている

1 1か月夏休みがあればいいなあと思うが、それは普通の会社員には（　　　）というものだ。

　　a ぜいたく　　　　　　　　b うれしい　　　　　　　c うらやましい

2 彼は仕事を辞めて妻の看病をするという。これこそ（　　　）というものだ。

　　a 夫　　　　　　　　　　　b 忙しい　　　　　　　　c 真の愛情

1 この作曲家はほとんど無名である。この作品だけが（　　　）にすぎない。

　　a 有名　　　　　　　　　　b 有名だ　　　　　　　　c 有名である

2 わたしが知っているフランス語は、（　　　）程度にすぎない。

　　a あいさつができる　　　　b 論文が書ける　　　　　c 新聞が読める

3 大統領も一人の人間にすぎないのだから、（　　　）はずだ。

　　a 重要な命令ができる　　　b いろいろ悩むこともある

　　c 世界各国の人と会う機会が多い

4 漫画をかくことはわたしの（　　　）であるにすぎず、専門に勉強したわけではない。

　　a 目的　　　　　　　　　　b 仕事　　　　　　　　　c 趣味

1 外来語も日本語の（　　　）にほかならない。元の語とは意味や使い方が異なるのだ。

　　a 一部　　　　　　　　　　b 一部だ　　　　　　　　c 一部である

2 ご両親が厳しいことを言うのは、あなたのことを（　　　）にほかならない。

　　a 心配している　　　　　　b 心配しているから　　　c 心配しているからだ

3 文章を書くことは（　　　）にほかならない。

　　a 楽しい　　　　　　　　　b 難しくないの　　　　　c 考えること

1 けんかなど（　　　）に越したことはないが、けんかして初めてわかりあえることもある。

　　a しない　　　　　　　　　b しないこと　　　　　　c しないの

2 人間は外見ではなく中身だとは思うが、もちろん外見が（　　　）に越したことはない。

　　a 関係ない　　　　　　　　b 悪い　　　　　　　　　c いい

3　人によって好みは違うから、客にとって商品の選択肢は（　　　　）に越したことはないだろう。

　　a 少ない　　　　　　　　　b 多い　　　　　　　　　c ある

4　（　　　　）に越したことはないだろうが、失敗を恐れていては何もできない。

　　a 失敗から学ぶ　　　　　　b 失敗はしない　　　　　c 失敗がある

6

1　家を買うには銀行からお金を（　　　）よりほかない。

　　a 借りる　　　　　　　　　b 借りた　　　　　　　　c 借りられる

2　今年は夏休みもずっと忙しかったから、旅行は（　　　）よりほかなかった。

　　a あきらめる　　　　　　　b あきらめない　　　　　c しない

3　もう後には引き返せない。ここまできたら（　　　）しかない。

　　a もうやめる　　　　　　　b 前に進む　　　　　　　c 戻る

7

1　子供はできるだけたくさん外で（　　　）べきです。

　　a 遊ばせ　　　　　　　　　b 遊ばせている　　　　　c 遊ばせる

2　目上の人にそんな失礼なことを（　　　）。

　　a 言うべきではない　　　　b 言わないべきだ　　　　c 言わぬべきだ

3　大学に入るには入学試験に（　　　）。

　　a 合格したほうがいい　　　b 合格するべきだ　　　　c 合格しなければならない

1〜7

1　借りたものは必ず返す（　　　）。

　　a にほかならない　　　　　b べきだ　　　　　　　　c に越したことはない

2　この問題集もだいぶ進んだ気がするが、まだ半分終わった（　　　　）。

　　a にすぎない　　　　　　　b にほかならない　　　　c に越したことはない

3　わたしが禁煙をうるさく言うのは、夫の健康を心配するから（　　　　）。

　　a というものだ　　　　　　b にすぎない　　　　　　c にほかならない

4　やるといった仕事を途中で投げ出すなんて、無責任（　　　　）。

　　a というものだ　　　　　　b にすぎない　　　　　　c であるよりほかない

5　どんな仕事も早めに手をつける（　　　　）。

　　a よりほかない　　　　　　b べきではない　　　　　c に越したことはない

6　冬は（　　　）。あまり寒い寒いと言うな。

　　a 寒いに越したことはない　　b 寒いものだ　　　　　c 寒いにすぎない

24課 提案する・意志を表す

〔復習〕 ・あした海へ行ってみませんか。
　　　　・疲れたときはゆっくり寝たほうがいいですよ。

1 　～（よ）うではないか

⇒一緒に～しよう・～しませんか。 硬い言い方

①環境を守るために何ができるか、考えてみようではないか。

②みんなで協力して、このイベントを成功させようじゃないか。

③問題の解決を目指し、話し合おうではありませんか。

🔗 動 う・よう形 ＋ではないか

⚠ 強く誘いかける男性的な言い方で、政治家の演説などに見られる。日常の会話ではあまり使わない。多数の人に呼びかける言い方。

2 　～ことだ

⇒～する／～しないことが大切だ・～した／～しないほうがいい。

①いいアイディアを見つけるためには、普段から何でも思いついたことをメモしておくことだ。

②太りたくなければ、夜遅く食べないことです。

③大切な決定をしなければならないときは、いろいろな人の意見を聞いてみることです。

🔗 動 辞書形/ない形 ＋ことだ

⚠ 過去・否定・疑問の形はない。意志動詞につく。忠告する言い方なので、目上の人には使わないほうが良い。

3 　～ものだ／～ものではない
→23課-1、26課-2

⇒～したほうがいい・～しなければならない／～しないほうがいい・～してはいけない。

①人との出会いは大切にするものだ。

②日本では、お見舞いの時は鉢植えの花はあげないものですよ。

③気軽に人にお金を貸すものではない。

④植木の枝を切ろうとして腰を痛めてしまった。やはり慣れないことはするものではないね。

🔗 動 辞書形/ない形 ＋ものだ

　　動 辞書形 ＋ものではない

⚠ 一般的な常識を表す。対象が特定のものや人の場合には使わない。目上の人には使わないほうが良い。

108　　実力養成編　第1部　文の文法1

4 ～ことはない

⇒～する必要はない。

①用事は電話で済みますから、なにもわざわざ行くことはありません。

②彼の言葉など気にすることはないよ。いつもきつい言い方をする人だから。

③ホームステイは初めてだったが、みんなが親切にしてくれたので、そんなに心配することはなかった。

🔗 動辞書形 ＋ことはない

⚠ 話者の判断を表す。質問の形はない。話者自身のことにはあまり使わない。必要がないと初めから決まっているような場合には使わない。

5 ～まい／～（よ）うか～まいか →22課-4

⇒～するつもりはない・～しないでおこう／～しようか～しないでおこうか

①こんなばかな失敗は二度とするまい。気をつけよう。

②父は子供が選んだ道には口を出すまいと思っているようだ。

③夫は家族に心配をかけまいとして、会社を辞めたことを話してくれなかった。

④掃除ロボットを買おうか買うまいか決心がつかない。

⑤難しそうな仕事なので、引き受けようか引き受けまいかだいぶ迷ったが、思い切ってやってみることにした。

🔗 動辞書形* ＋まい　　動う・よう形 ＋か＋動辞書形* ＋まいか　（同じ動詞を使う。）

　　＊動Ⅱ・Ⅲ→動辞書形/~ない ＋まい　　する→「すまい」もある

⚠ 「～まい」は話者以外の意志を表す場合は、「～と思っているようだ・～としている」などが必要。この言葉がついていなければ、推量の意味になる。

6 ～ものか →12課-3

⇒絶対～するつもりはない。

①あんな無責任な人とはもう一緒に仕事をするものか。

②この計画を絶対実行したい。他人に何を言われてもあきらめるものか。

③今日こそは遅刻するものかと毎日思うけれど、やっぱり何分か遅刻してしまう。

🔗 動辞書形 ＋ものか

⚠ 否定の意志を少し感情的に強く言う。「もんか」はさらにくだけた言い方。

1 これからわたしたちの力で、明るい日本を（　　　　）ではありませんか。

  a 作っていこう　　　　　　b 作っていく　　　　　　　c 作っていくの

2 皆_{みな}さん、リサイクル運動に（　　　　）。

  a 協力_{きょうりょく}しようではない　　b 協力しようではないのか　　c 協力しようではないか

1 けがをしたくなければ、工事現場_{こうじげんば}には（　　　　）。

  a 入ることではない　　　　b 入らないことだ　　　　　c 入らないほうがいいことだ

2 子供_{こども}にはまず正しい生活習慣_{せいかつしゅうかん}を（　　　　）ことだと思う。

  a 身_みにつけさせる　　　　　b 身につけさせた　　　　　c 身につけさせての

3 （　　　　）、うそをつかないことだ。

  a 信頼関係_{しんらいかんけい}を作るのは　　b 信用_{しんよう}される人というのは　　c 人に信用されたいのなら

1 親_{おや}は子供_{こども}の面倒_{めんどう}をちゃんと（　　　　）ものだ。

  a 見る　　　　　　　　　　b 見ている　　　　　　　　c 見た

2 （　　　　）は、借りたらすぐ返_{かえ}すものだ。

  a 1,000円　　　　　　　　b お金　　　　　　　　　　c あの時のお金

3 （　　　　）ときは、前日_{ぜんじつ}よく休むものです。

  a 山登_{やまのぼ}りをする　　　　　b 今度の連休_{れんきゅう}に富士山_{ふじさん}に登_{のぼ}る

  c A社のツアーで富士山に登る

4 人にはさみを渡_{わた}すときは、とがったほうを相手_{あいて}に向_むける（　　　　）。

  a ものです　　　　　　　　b ものではありません　　　c ものですか

1 試合に負_まけたことに、あなた一人が責任_{せきにん}を（　　　　）ことはありません。チームみんなの責任

  です。

  a 感_{かん}じる　　　　　　　　b 感じた　　　　　　　　　c 感じている

2 ここは無料駐車場_{むりょうちゅうしゃじょう}だから、お金を（　　　　）よね。

  a 払_{はら}わないことです　　　b 払うべきではありません　c 払うことはありません

3 来週木曜日に健康診断_{けんこうしんだん}を行います。当日_{とうじつ}は朝ご飯を（　　　　）。

  a 食べることはありません　b 食べないでください　　　c 食べるものではありません

5

1 たばこはもう（　　　）と決心したが、やっぱりやめられない。
　　a 吸うまい　　　　　　　　b 吸おうまい　　　　　　　c 吸わないよう

2 もうこんな危ないことは（　　　）まいと心に決めた。
　　a できる　　　　　　　　　b ある　　　　　　　　　　c する

3 親に本当のことを言おうか言うまいか（　　　）。
　　a わからない　　　　　　　b 3日も考えている　　　　c 関係ない

4 彼は勉強への興味を失ったので、（　　　）。
　　a 退学しようかするまいか　　b 退学しようかと考えている　c 退学しまいかと迷っている

6

1 お兄ちゃんなんかに（　　　）もんか。
　　a 負ける　　　　　　　　　b 勝つ　　　　　　　　　　c 負けない

2 あ、どろぼう。財布を取られた。（　　　）もんか。必ず捕まえるぞ。
　　a 逃げる　　　　　　　　　b 逃げた　　　　　　　　　c 逃がす

1～6

1 先生、（　　　）。
　　a 無理をしないことですよ　　b 無理をするものではありませんよ

　　c 無理をなさいませんように

2 来年の試験に合格したかったら、（　　　）。
　　a もっと努力しようではないか　b もっと努力するものだ　　c もっと努力することだ

3 皆さん、今日のパーティーは楽しく（　　　）
　　a 過ごそうじゃありませんか　b 過ごすものですよ　　　　c 過ごすことですよ

4 失敗作と言っても、（　　　）。これで十分です。
　　a 作り直さないことです　　　b 作り直すことはありません　c 作り直さないものです

5 親の言うことはもう（　　　）。僕の気持ちをぜんぜんわかっていない。
　　a 聞かないことだ　　　　　　b 聞くものではない　　　　c 聞くものか

6 君が悪いんじゃないんだから（　　　）。
　　a 謝ることはない　　　　　　b 謝るものではない　　　　c 謝るまい

25課 強くそう感じる・思いが強いられる

〔復習〕　・歯が<u>とても</u>痛い。

　　　　　・仕事があるので、日曜日にも会社に行か<u>なければならない</u>。

1 ～てしかたがない・～てしょうがない・～てたまらない

　⇒非常に～だと感じる。

①近所にあったスーパーが閉店してしまって、不便<u>でしかたがない</u>。

②さっき聞いたおもしろい話をだれかに話した<u>くてしかたがない</u>。

③久しぶりに彼女に会えるのがうれし<u>くてしょうがない</u>。

④赤ちゃんはお母さんがいないと不安<u>でたまらない</u>らしく、泣き出した。

⑤朝から何も食べていないので、おなかがすい<u>てたまらない</u>。

⑥虫に刺されたところがかゆ<u>くてたまらない</u>。

🖉 　動 て形・ イ形 くて・ ナ形 –で　＋しかたがない・しょうがない・たまらない

⚠ 　話者の感情・欲求などを表す言葉につく。特に「～てたまらない」は体で感じることについて使うことが多い。三人称が主語の時は、④のように「ようだ・らしい」などをつける。

2 ～てならない

　⇒気持ちが非常に～だ。

①さっきから何か大切なことを忘れているような気がし<u>てならない</u>。

②この歌を聞くと、学生時代のことが思い出され<u>てならない</u>。

③明日の面接でうまく話せるかどうか、心配<u>でならない</u>。

④ヤンさんを空港に見送りに行けなかったことが残念<u>でならない</u>。

🖉 　動 て形・ イ形 くて・ ナ形 –で　＋ならない

⚠ 　自然にそういう気持ちになることを表す動詞(気がする・思える・感じられるなど)や、話者の感情・体の感覚などを表す言葉につく。マイナスの感情を表すことが多い。特定の三人称が主語のときは、「ようだ・らしい」などをつける。

| 3 | ～ないではいられない・～ずにはいられない |

⇒どうしても～してしまって抑(おさ)えられない。

①この曲(きょく)が聞こえてくると、体を動かさ<u>ないではいられない</u>。

②この犬を見ていると、山田さんの顔を思い出さ<u>ないではいられない</u>。

③ミカさんはケーキが大好きで、ケーキ屋の前を通ると買わ<u>ずにはいられない</u>そうだ。

④その選手(せんしゅ)の一生懸命(いっしょうけんめい)な姿(すがた)を見て、だれもが応援(おうえん)せ<u>ずにはいられなかった</u>。

✎ 動 ない形 ＋ではいられない

　　動 ~~ない~~ ＋ずにはいられない　＊例外(れいがい)　する→せずに

⚠ 自然(しぜん)に出(で)てくる個人的(こじんてき)な感情(かんじょう)や行動(こうどう)を表(あらわ)す。特定(とくてい)の三人称(さんにんしょう)が主語(しゅご)の時(とき)は、③のように「そうだ・ようだ・らしい」などをつける。

| 4 | ～ないわけに(は)いかない | →18課-②

⇒事情(じじょう)があって～しなければならない。

①親友(しんゆう)の結婚式(けっこんしき)だから、忙(いそが)しくても出席(しゅっせき)し<u>ないわけにはいかない</u>。

②こんなに歯(は)が痛(いた)くなっては、歯医者(はいしゃ)に行か<u>ないわけにはいかない</u>。

③どんなにお金がなくても、何も食べ<u>ないわけにいかない</u>。

④早く帰りたかったが、最後(さいご)まで後片付(あとかたづ)けを手伝(てつだ)わ<u>ないわけにはいかなかった</u>。

✎ 動 ない形 ＋わけに(は)いかない

⚠ 意志動詞(いしどうし)につく。主語(しゅご)は特定(とくてい)の三人称(さんにんしょう)ではなく一人称(いちにんしょう)が多(おお)いが、文中(ぶんちゅう)に表(あらわ)れることは少(すく)ない。
社会的常識(しゃかいてきじょうしき)・義理(ぎり)などの事情(じじょう)を言(い)う文(ぶん)が前(まえ)か後(あと)に来(く)ることが多(おお)い。

| 5 | ～ざるを得(え)ない |

⇒そうしたくはないが、どうにもならない事情(じじょう)があってしかたなく～する。

①週末(しゅうまつ)も仕事で出かけ<u>ざるを得ない</u>。

②これだけ反対(はんたい)の証拠(しょうこ)が多いのだから、彼の説(せつ)は間違(まちが)っていたと言わ<u>ざるを得ない</u>。

③途中(とちゅう)で足が痛(いた)くなり、完走(かんそう)はあきらめ<u>ざるを得ない</u>状況(じょうきょう)になった。

④このまま赤字(あかじ)が続(つづ)けば、経営方針(けいえいほうしん)を変更(へんこう)せ<u>ざるを得ない</u>だろう。

✎ 動 ~~ない~~ ＋ざるを得ない　＊例外(れいがい)　する→せざる

⚠ 意志動詞(いしどうし)につく。主語(しゅご)は特定(とくてい)の三人称(さんにんしょう)ではなく一人称(いちにんしょう)が多(おお)いが、文中(ぶんちゅう)に表(あらわ)れることは少(すく)ない。

1

1　この自転車は（　　　）しょうがない。

　　a 古くて　　　　　　　　　　b 乗りにくくて　　　　　　　　c 気に入って

2　犬が飼い主にそっくりなのが（　　　）たまらなかった。

　　a おかしくて　　　　　　　　b 珍しくて　　　　　　　　　　c 笑って

3　妹はわたしが持っているバッグが（　　　）。

　　a 欲しくてしかたがない　　　b 欲しがってしかたがない

　　c 欲しくてしかたがないようだ

4　仕事中だが、今やっている試合の（　　　）しょうがない。

　　a 結果を気にして　　　　　　b 結果が気になって　　　　　　c 結果がわからなくて

2

1　一人暮らしを始めて最初のころは、（　　　）ならなかった。

　　a お金がかかって　　　　　　b 時間が足りなくて　　　　　　c 寂しくて

2　一人ぼっちで生きているこの小説の主人公が（　　　）ならない。

　　a 偉くて　　　　　　　　　　b 立派で　　　　　　　　　　　c かわいそうで

3　今日紹介された松本さんにはどこかで一度会っているような（　　　）ならない。

　　a 気がして　　　　　　　　　b 気にして　　　　　　　　　　c 気になって

4　母は叔父のことが不愉快に（　　　）

　　a 思えてならない　　　　　　b 思えてならないようだ　　　　c 思ってならない

3

1　（　　　）は大地震の後の町の変わりようを見て、涙を流さずにはいられなかった。

　　a わたし　　　　　　　　　　b 彼女　　　　　　　　　　　　c うちの母

2　この映画のラストシーンには、（　　　）いられなかった。

　　a 感動しないでは　　　　　　b 感動しては　　　　　　　　　c 感動させないでは

3　小さな子供たちが一生懸命踊っている姿を見て、（　　　）いられなかった。

　　a 笑顔にさせずには　　　　　b 笑顔にならずには　　　　　　c 笑顔にされずには

4　今日は会議があるので（　　　）。

　　a 出勤せずにはいられない　　b 出勤しないではいられない　　c 出勤しなければならない

4

1 暑くても服を（　　　）わけにはいかない。

 a 着る   b 着ない   c 着ず

2 早く帰りたいのだが、母に頼（たの）まれた本を（　　　）わけにはいかない。

 a 買って帰らない   b 買って帰る   c 買わないで帰らない

3 せっかくわたしのために作ってくれた料理だから、（　　　）。

 a どうしても食べるわけにはいかない b あまりたくさん食べるわけにはいかない

 c 全（まった）く食べないわけにはいかない

5

1 この映画監督（かんとく）は問題発言（はつげん）が多いことで有名だが、その才能（さいのう）は（　　　）ざるを得（え）ない。

 a 認（みと）める   b 認め   c 認めない

2 平日（へいじつ）しか病院の予約（よやく）がとれなかったので、仕事を（　　　）を得なかった。

 a せざる   b させざる   c 休まざる

3 地球上（ちきゅうじょう）から戦争（せんそう）を（　　　）。

 a なくさなければならない b なくさざるを得ない

 c なくさないわけにはいかない

1～5

1 この文章（ぶんしょう）はだれかの文章をまねしたように（　　　）。

 a 思えないわけにはいかない b 思えてたまらない   c 思えてならない

2 このホールは冷房（れいぼう）が効（き）きすぎていて、（　　　）。

 a 寒（さむ）くてならない   b 寒くならないではいられない c 寒くならざるを得（え）ない

3 わたしは飛行機（ひこうき）が怖（こわ）い。乗るときにはいつも「どうか落（お）ちませんように」と（　　　）。

 a 祈（いの）ってならない   b 祈らずにはいられない c 祈らざるを得ない

4 電車の中で、前に座（すわ）っていた人がいねむりをしていて席（せき）から落ちた。おかしくて、（　　　）。

 a 笑（わら）わないわけにはいかなかった b 笑わないではいられなかった

 c 笑わざるを得なかった

5 国の母が懐（なつ）かしい。（　　　）。

 a 会いたくてたまらない b 会わないわけにはいかない c 会わざるを得ない

6 外国旅行の時はパスポートを（　　　）。

 a 持っていくわけにはいかない b 持っていかないではいられない

 c 持っていかなければならない

26課 願う・感動する

〔復習〕　・ああ、月の世界へ行ってみ<u>たい</u>。

　　　　　・政府にはもっと国民の声を聞い<u>てほしい</u>と思う。

---

1 ～たいものだ・～てほしいものだ

⇒～したい・～てほしいと強く思う。

①将来はこんな家に住み<u>たいものだ</u>なあ。

②そんなにきれいな絵なら、ぜひ一度見<u>てみたいものです</u>。

③今度こそ実験が成功し<u>てほしいものだ</u>。

④国には税金の無駄遣いをしない<u>でほしいものだ</u>。

🔖 動 <del>ます</del> ＋たいものだ

　　動 て形/ない形＋で　＋ほしいものだ

⚠ 心からの希望を言う場合や一般的な希望として言う場合に使う。具体的な希望や要求を直接言うときには使わない。

---

2 ～ものだ　　　　　　　　　　　　　　　→23課-1、24課-3

A⇒～という過去の習慣が懐かしい。

①子供のころは、夏になるとこの川で泳いだ<u>ものです</u>。

②祖父が生きていたころは、毎年お正月になると親戚が集まった<u>ものだ</u>。

③若いときはよくコンサートに行った<u>ものだ</u>が、最近は行かなくなった。

🔖 動 た形 ＋ものだ

⚠ 1度だけのことには使わない。

B⇒～ということを非常に強く感じる・感心する・あきれる。

④卒業してからもう10年か。時間が過ぎるのは早い<u>ものだ</u>。

⑤図書館に行かなくてもインターネットでいろんな情報が集められる。便利な世の中になった<u>ものだ</u>。

⑥辞書の中のこんな小さな間違いをよく見つけられた<u>ものだ</u>。

🔖 動・形 普通形（ナ形 <del>だ</del>－な）　＋ものだ

⚠ 話者の意志的な行為には使わない。話者の主観を表す形容詞や、副詞（よく・ずいぶんなど）と一緒に使うことが多い。

---

3 ～ないもの（だろう）か

⇒実現は難しいが、何とかして～ということになってほしい。

①どうにかして母の病気が治らないものか。

②だれかこの仕事を引き受けてくれる人はいないものだろうか。

③この時計はちょっと高すぎる。どこかでもっと安く買えないものかな。

🦮 動 ない形　＋もの（だろう）か

⚠ 可能動詞や話者の意志が入らない動詞につく。

---

4 ～ものがある

⇒～という感じがある。

①毎日２時間もかけて通勤するのは、かなりつらいものがある。

②ここまで完成しているのにあきらめなければならないなんて、残念なものがある。

③一方的に仕事を辞めさせられた。どうしても納得できないものがある。

🦮 動・形 普通形現在（ナ形 だ –な）　＋ものがある

⚠ 話者の感想を表す言葉につく。

---

5 ～ことだ　　　　　　　　　　　　　　　　　　　　　　→24課- 2

⇒本当に～だ。（驚き・感動・皮肉などを表す。）

①大きくなりすぎたからとペットを簡単に捨てる人がいる。なんとひどいことだ。

②困ったとき助けてくれる友達がいる。ありがたいことだ。

③いくら電話しても出ない。全く困ったことだ。

🦮 イ形 い・ナ形 な　＋ことだ

⚠ 話者の主観を表す形容詞につく。③のように形容詞のような働きをする動詞の「た形」も使われる。

---

6 ～ことだろう・～ことか

⇒非常に多く～する（ある）・非常に～と感じる。〈書き言葉〉

①この城を完成させるのに、いったい何年かかったことだろう。

②「無駄遣いをするな」と子供にもう何回注意したことか。

③離れて暮らしているあなたのことを、ご両親はどんなに心配していることか。

🦮 疑問詞＋普通形（ナ形 だ –な/–である・名 だ –である）　＋ことだろう・ことか

⚠ 程度を表す疑問詞（どんなに・何回など）や「なんと・いったい」と一緒に使う。

1

1　すみません、来週の旅行なんですが、用事ができたので（　　　）が。

　a　キャンセルしたいんです　　　　b　キャンセルしたいものです

　c　キャンセルしてほしいものです

2　彼はこの問題に関係ないのだから、（　　　　）ものだ。

　a　口をはさみたくない　　　　b　口をはさまないでほしい　　　c　口をはさまないでいたい

3　（　　　）を食べてみたいものだ。

　a　あ、このおいしそうな料理　　b　今日はユリさんのうちで手料理　　c　一度、その珍しい魚

2

1　国にいたころ（　　　）家族でハイキングに行ったものです。

　a　一度　　　　　　　　　　b　よく　　　　　　　　　　c　いつか

2　昔は元気でしたから、頑張って（　　　）ものです。

　a　高い山に登った　　　　　　b　家を買った　　　　　　　c　試験に合格した

3　この人は変わった種類のトイレットペーパーを集めているのか。（　　　）ものだ。

　a　いろんな人がいる　　　　b　変な人の　　　　　c　一般には理解されない

4　ラーメンを3杯も（　　　）食べられるものだ。

　a　そんなに　　　　　　　　b　どうして　　　　　　　c　よく

3

1　何とかしてこの犬の飼い主を（　　　）ものだろうか。

　a　見つけてあげたい　　　　b　見つけてあげない　　　　c　見つけてあげられない

2　何かもっと簡単に日本語が上手になる方法は（　　　）ものか。

　a　ある　　　　　　　　　　b　ない　　　　　　　　　c　わからない

3　もっと給料が高くて楽な仕事は（　　　）ものか。

　a　見つからない　　　　　　b　見つけない　　　　　　c　見つけたい

4　朝のラッシュは何とか（　　　）ものか。

　a　ならない　　　　　　　　b　しない　　　　　　　　c　なれない

4

1　10代の心は微妙だ。この時期の子供の扱いはなかなか（　　　）ものがある。

　a　問題の　　　　　　　　b　難しい　　　　　　　c　わからなかった

2　彼の音楽は実に素晴らしい。（　　　）ものがある。

　a　人の心が動く　　　　　b　人の心に動かされる　　　c　人の心を動かす

5

1 使っていない紙をこんなに捨てているなんて、（　　　）ことだ。
  a もったいない　　　　　　　b だれかが捨てた　　　　　　c 無駄遣いの

2 定年後は夫婦で海外旅行ですか。まあ、それは（　　　）ことですね。
  a 同じ趣味の　　　　　　　　b けっこうな　　　　　　　　c お金が必要な

3 家に忘れ物をして駅まで2往復ですか。それは（　　　）ことです。
  a 急いだ　　　　　　　　　　b 疲れた　　　　　　　　　　c ご苦労な

4 事故にあった全員の命が助かった。本当に（　　　）ことだ。
  a うれしい　　　　　　　　　b 喜んだ　　　　　　　　　　c 命は大切な

6

1 この曲は素晴らしい。今まで（　　　）聞いたことか。
  a 何度か　　　　　　　　　　b 何度も　　　　　　　　　　c 何度

2 何年も会っていない友達を突然訪ねていったら、（　　　）驚くことだろう。
  a なんと　　　　　　　　　　b どんなに　　　　　　　　　c いくら

3 ついに長年の夢がかなって、彼女はどれほど（　　　）ことだろう。
  a 喜びの　　　　　　　　　　b よかった　　　　　　　　　c うれしかった

1～6

1 年をとっても夢を（　　　）。
  a 持ち続けていたいことだ　　b 持ち続けていたいものだ　　c 持ち続けていたいことか

2 いつまでも小さいことでけんかしているのは、実に（　　　）。
  a くだらないことだ　　　　　b くだらないことだろう　　　c くだらないものだ

3 最後の最後に逆転負けしたなんて、どれほど（　　　）。
  a 悔しいことか　　　　　　　b 悔しいものか　　　　　　　c 悔しいものがある

4 迷惑をかけてしまった人たちのことを考えると、今でも（　　　）。
  a 心苦しいものだ　　　　　　b 心苦しいことだ　　　　　　c 心苦しいものがある

5 よくもまあ、こんな細かい彫刻が（　　　）。
  a できることか　　　　　　　b できるものだ　　　　　　　c できないものか

次の文の(　　　)に入れるのに最もよいものを、1・2・3・4から一つ選びなさい。

1　それ、睡眠時間を(　　　)やるべき仕事なんですか。
　1　削ってまで　　　　　　　　　　2　削ってさえ
　3　削ってからして　　　　　　　　4　削ってなどして

2　こんな不注意な事故は二度と(　　　)と心に決めた。
　1　起こるまい　　　　　　　　　　2　起こすまい
　3　起こりかねない　　　　　　　　4　起こしかねない

3　真実を知れば彼女が悲しむのはわかっているが、うそをつくことはできない。本当のことを
　(　　　)だろう。
　1　話さないというわけでもない　　2　話さないわけがない
　3　話さないわけではない　　　　　4　話さないわけにいかない

4　朝から何も食べていないので、おなかが(　　　)。今すぐ何か食べたい。
　1　すいてしまったものだ　　　　　2　すいてしまったことだ
　3　すいてたまらない　　　　　　　4　すいてはいられない

5　小川さんの作る料理はおいしい(　　　)。なにしろプロなんだから。
　1　にきまっていますよ　　　　　　2　とみえますよ
　3　ことがありますよ　　　　　　　4　ものがありますよ

6　社長のやり方を批判しようものなら、会社を(　　　)。
　1　辞めかねない　　　　　　　　　2　辞めさせられかねない
　3　辞めさせ得る　　　　　　　　　4　辞めさせられ得ない

7　この子はまだ3歳だから、乗車券を(　　　)。
　1　買うべきではありませんね　　　2　買うほどではありませんね
　3　買わなくてもいいですね　　　　4　買わずにはいられませんね

8　まだたっぷり時間があったのだから、あんなに(　　　)。
　1　急ぐことはなかった　　　　　　2　急ぐものではなかった
　3　急ぐはずがなかった　　　　　　4　急ぐよりほかなかった

9 彼のちょっとした態度だけで自分が嫌われていると思うなんて、（　　　　　）。

1　考えすぎるものだ　　　　　　　　2　考えすぎというものだ

3　考えすぎたものだ　　　　　　　　4　考えすぎというものではない

10 残念だが、これだけ結果が悪ければ、この計画は失敗だと（　　　　　）。

1　言うものだ　　　　　　　　　　　2　言ったところだ

3　言わないことはない　　　　　　　4　言わざるを得ない

11 若いうちにいろいろなことを経験しておく（　　　　　）。

1　にすぎない　　　　　　　　　　　2　に越したことはない

3　に違いない　　　　　　　　　　　4　にほかならない

12 あんな大工には二度と修理を（　　　　　）。

1　頼むものですか　　　　　　　　　2　頼んだものですか

3　頼むものがあります　　　　　　　4　頼んだことはありません

13 その客のマナーがあまりにひどかったので、（　　　　　）。

1　注意するに越したことはなかった　2　注意せずじまいだった

3　注意することはなかった　　　　　4　注意せずにはいられなかった

14 留学生には日本語だけでなく、日本の文化や社会のことも（　　　　　）。

1　学ぶものだ　　　　　　　　　　　2　学ばせるものだ

3　学びたいものだ　　　　　　　　　4　学んでほしいものだ

15 最近の科学技術の進歩には（　　　　　）。

1　驚くべきことがある　　　　　　　2　驚くというものだ

3　驚くべきものがある　　　　　　　4　驚くというものではない

　N2の文法形式には、動詞から派生してできたものが少なくありません。その文法形式を学習したことがなくても、元の言葉の意味から類推することができます。

(＊はここで初めて学習する文法形式)

元の動詞	文法形式	例	課
際する	～に際して	留学に際してはいろいろお世話になりました。	1
あたる	～にあたって	開会にあたって一言ごあいさつ申し上げます。	1
わたる	～にわたって	関東地方の広い範囲にわたって初雪が降った。	4
通じる	～を通じて	インターネットを通じて世界中の情報が得られる。	4
通す	～を通して	彼は一生を通して村のために尽くした。	4
限る	～に限って	あの子に限ってそんなことをするはずがない。	5
関する	～に関して	今回の事件に関して詳しいことがわかりましたか。	7
めぐる	～をめぐって	土地の問題をめぐって両者が対立している。	7
対する	～に対して	お客様に対して丁寧な言葉を使いなさい。	7
応える	～にこたえて	住民の要望にこたえて自転車置き場を設置した。	7
基づく	～に基づいて	法律に基づいて裁判を行う。	8
沿う	～に沿って	プログラムに沿って発表会を行います。	8
従う	～にしたがって	気温の変化にしたがって山の景色が変わる。	9
連れる	～につれて	父は年をとるにつれて頑固になってきた。	9
伴う	～に伴って	地球温暖化に伴って各地で気候が変化している。	9
応じる	～に応じて	ご予算に応じてメニューをご用意いたします。	9
拠る	～によって	事故によって新幹線のダイヤが大きく乱れた。	16
(於く) 今は使われない	～において	⇒～の場所や分野、時期などにあることが行われる・ある状態だ。 硬い言い方 ①本日A館において就職説明会が行われる。 ②コストダウンはビジネスにおける重要な課題だ。	＊
先立つ	～に先立って	⇒～の前に、それに関連する何かをする。 ①野外実験を行うに先立って現地調査をした。 ②イベントに先立つパレードは、駅前広場で行われます。	＊

練習1 □□□から適当な動詞を選び、適当な形にして、＿＿＿の上に書きなさい。（　　　）に
は助詞を書きなさい。（一つの言葉を1回だけ使います。）

A | よる　　めぐる　　際する　　わたる　　沿う　　通じる　　限る　　伴う |

1 ダム建設問題（　　　）＿＿＿＿＿＿＿＿住民が3時間も話し合いをしている。

2 この図書館のご利用（　　　）＿＿＿＿＿＿＿＿は以下のことをお守りください。

3 食生活の変化（　　　）＿＿＿＿＿＿＿＿米の消費量が減った。

4 この時計は、親子二代（　　　）＿＿＿＿＿＿＿＿愛用しているものだ。

5 あのメーカー（　　　）＿＿＿＿＿＿＿＿すぐ壊れるような製品は作らないと思う。

6 書いてある手順（　　　）＿＿＿＿＿＿＿＿行えば、この機械の操作はそれほど難しくない。

7 学生たちは地域の人たちとの交流（　　　）＿＿＿＿＿＿＿＿さまざまなことを学んでいる。

8 地震（　　　）＿＿＿＿＿＿＿＿多くの家が壊れた。

B | 通す　　先立つ　　応じる　　基づく　　あたる　　こたえる　　関する　　対する |

1 この学校はキリスト教の精神（　　　）＿＿＿＿＿＿＿＿教育が100年も続いています。

2 この商品（　　　）＿＿＿＿＿＿＿＿ご質問がある方は、お問い合わせください。

3 小学校では来月の入学式（　　　）＿＿＿＿＿＿＿＿説明会が行われた。

4 社長のやり方（　　　）＿＿＿＿＿＿＿＿不満を持っている社員も多い。

5 このいすは、お子様の成長（　　　）＿＿＿＿＿＿＿＿高さの調節をすることができます。

6 このたびのスミス氏の来日（　　　）＿＿＿＿＿＿＿＿歓迎会が行われた。

7 その作家は読者の期待（　　　）＿＿＿＿＿＿＿＿新しい作品を次々に書いた。

8 彼は在日期間（　　　）＿＿＿＿＿＿＿＿常に積極的に国際交流の努力をした。

B 「言う・する」を使った言い方

　N2の文法形式には動詞の「言う」「する」を含むものが少なくありません。「言う」「する」は、具体的な動詞の代わりです。

・言う→話題に出す・意見を言うなど

・する→考える・判断する・仮定するなど

（＊はここで初めて学習する文法形式）

	文法形式	例	課
言う	〜といった	ケーキやクッキーといったお菓子が大好きだ。	10
	〜といえば	あ、雪だ。雪といえば、スキー旅行はどうしようか。	13
	〜というと	畑というと、ふつう広い土地を想像するだろう。	13
	〜といったら	代表的な日本料理といったら、すしやてんぷらだ。	13
	〜といっても	料理ができるといっても、簡単なものだけだ。	14
	〜からといって	好きだからといって、そればかり食べてはいけない。	14
	〜とはいいながら	⇒〜ではあるが、実際は予想されることとは違う。 ①わたしは教師（だ）とはいいながら、生徒たちに教えられることの方が多い。 ②彼女は母親になったとはいいながら、子育ては苦手なようだ。 🖉 名・普通形（ナ形（だ）・名（だ））　＋とはいいながら	＊
する	〜からして	この映画は題名からして怖そうだ。	4
	〜としたら 〜とすれば 〜とすると	無人島で過ごすとしたら、何を持っていきますか。 京都を訪れるとすれば、桜の季節がいいと思います。 彼が犯人ではないとすると、本当の犯人はだれだろう。	15
	〜にしても 〜にしろ	時間がないにしても、連絡ぐらいしてほしい。 何をするにしろ、心を込めて取り組みたい。	15
	〜にしては	この絵は子供がかいたにしてはよくかけている。	19
	〜にしたら 〜にすれば	お母さんにしたら、君のことが心配で注意するのだ。 店にすれば、なるべく安く買い高く売りたいはずだ。	19
	〜からすると 〜からいうと	⇒〜から判断すると ①性能からすると、この製品の方が断然いい。 ②医師の立場からいうと、この治療方法は勧められない。 🖉 名　＋からいうと・からすると	＊

練習1　□□□から適当なものを選びなさい。

A　［言う］

| a とはいいながら　　b といった　　c というと　　d からといって　　e からいうと |

1　男女平等が進んだ（　　　）、日本ではまだ女性の政治家は少ない。

2　値段（　　　）コース料理のほうがお得だ。

3　暑い（　　　）、窓を開けたまま寝るのは良くないですよ。

4　15日（　　　）来週の水曜日ですね。

5　「はんなり」というのは京都の方言で、明るく上品（　　　）意味だ。

B　［する］

| a にしては　　b としたら　　c にしろ　　d からして　　e からすると |

1　この服はどうもわたしに合わない。色（　　　）わたし向きではない。

2　ここは観光地（　　　）訪れる人が少ない。

3　先生の言い方（　　　）、今度の試験はあまり難しくなさそうだ。

4　先週ほどではない（　　　）今週も忙しい。

5　もし普通のサラリーマンになっていた（　　　）、今ごろ課長ぐらいになっていたかもしれない。

練習2　適当なものを選びなさい。

1　うちの子はリスとか小鳥（　　　）小さい動物が好きです。

　　a といった　　　　b とした　　　　　c という　　　　　d とする

2　彼の表情（　　　）、仕事はあまりうまく行っていないようだ。

　　a からといって　　b からというと　　c からとして　　d からすると

3　この辺りは商店街（　　　）閉店している店が多い。

　　a にしても　　　　b にしたら　　　　c といっても　　　d といったら

4　親切のつもりでしたことでも、相手（　　　）迷惑ということもある。

　　a といえば　　　　b にしては　　　　c にすれば　　　　d というと

5　ゆっくり会場を見て回る（　　　）、2時間はかからないだろう。

　　a にしても　　　　b にしては　　　　c といえば　　　　d としたら

C　古い言葉を使った言い方

　N2の文法形式には古い言葉を使ったものがあります。その文法形式を学習したことがなくても、元の言葉の意味がわかれば意味を類推することができます。

古い言い方	意味	文法形式	例	課
〜ず	〜ない	〜もかまわず	値段**もかまわず**買い物する。	11
		〜を問わず	この仕事は男女**を問わず**できる。	11
		〜にかかわらず	送料は重さ**にかかわらず**200円だ。	11
		〜にもかかわらず	大雨**にもかかわらず**たくさんの人が集まった。	14
		〜ずじまいだ	連休はどこへも行か**ずじまいだった**。	20
		〜ずにはいられない	のどが渇いて水を飲ま**ずにはいられない**。	25
		〜ざるを得ない	週末も働か**ざるを得ない**。	25
べし	〜なければならない	〜べきだ	今できることは今する**べきだ**。	23
		〜べきではない	女性に年齢を聞く**べきではない**。	23
まい	〜ないだろう	〜まい	よく確かめたのだから間違いはある**まい**。	22
		〜ではあるまいか	このままでは問題は解決しないの**ではあるまいか**。	22
	〜ないようにしよう	〜まい	こんな失敗は二度とする**まい**。	24
つつ	〜ながら	〜つつ	将来のことを考え**つつ**進路を決める。	2
	〜ているところ	〜つつある	次第に暖かくなり**つつある**。	2
	〜けれども	〜つつ(も)	危険だと知り**つつ**近づいた。	14
せよ	しろ	〜にせよ	忙しい**にせよ**連絡はしなさい。	15

練習1　Aの言葉の意味と合うものをBから選んで線で結びなさい。

A

①せず　　　　　　　　・　　　・　　a　しなければならない

②するべし　　　　　・　　　・　　b　しない

③するまい　　　　　・　　　・　　c　しないだろう

④しつつ　　　　　　・　　　・　　d　しろ

⑤せよ　　　　　　　　・　　　・　　e　しながら

練習2　（　　　）の中の言葉を適当な形にして、必要なら「の」を加えて＿＿＿＿の上に書きなさい。

1　目の前にお年寄りが＿＿＿＿＿＿もかまわず、あの人は優先席に座って漫画を読んでいる。

（立っている）

2　旅行先で帽子をなくし、方々探したが、結局＿＿＿＿＿＿じまいだった。　　（見つかる）

3　地震の被害を受けた人たちが、1日も早く元の生活に戻れるようにと＿＿＿＿＿＿にはいられません。

（願う）

4　見ているだけでは状況は＿＿＿＿＿＿まい。（変わる）

5　部屋の片付けをしなければと＿＿＿＿＿＿つつ、時間がたってしまった。（思う）

6　言いたいことがあるなら、はっきり＿＿＿＿＿＿べきだ。（伝える）

7　事情が＿＿＿＿＿＿にせよ、急に仕事を辞められては困る。（ある）

8　今の実力を考えると、合格の可能性は低いと＿＿＿＿＿＿を得ないだろう。（言う）

9　県民スポーツ大会の準備は日ごとに＿＿＿＿＿＿つつある。（整う）

10　この本は、内容が非常に＿＿＿＿＿＿にもかかわらず、よく整理されていてわかりやすい。

（複雑な）

11　昨日の大雨で、桜はほとんど＿＿＿＿＿＿ではあるまいか。（散ってしまう）

12　どんな仕事を＿＿＿＿＿＿かにかかわらず、ある程度のコミュニケーション能力は必要だろう。

（する）

D 「もの・こと」を使った言い方

N2の文法形式には「もの」「こと」を使った言い方が少なくありません。

「もの」が含まれる言い方は、話者が感情を込めて述べる場合によく使われます。

「こと」が含まれる言い方は、感情を強調する場合に使われるほか、いろいろな働きをします。

（＊はここで初めて学習する文法形式）

	文法形式	例	課
もの	〜ものか	あいつが時間どおりに来る**ものか**。	12
	〜というものではない	安ければいい**というものではない**。	12
	〜ものの 〜とはいうものの	高い着物を買った**ものの**、着る機会がない。 手術は成功した**とはいうものの**、まだ心配だ。	14
	〜ものなら	やれる**ものなら**やってみろ。	15
	〜（よ）うものなら	台風でも来**ようものなら**、この小屋は壊れそうだ。	15
	〜もので・ものだから	目が悪い**もので**、よく見えませんでした。	16
	〜もの	これは食べたくない。嫌いなんだ**もの**。	16
	〜ものだ	人間は本来一人では生きられない**ものだ**。	23
	〜というものだ	仕事を途中で投げ出すのは、無責任**というものだ**。	23
	〜ものだ 〜ものではない	人との出会いは大切にする**ものだ**。 気軽に人にお金を貸す**ものではない**。	24
	〜ものか	あんな人とはもう一緒に仕事をする**ものか**。	24
	〜たいものだ 〜てほしいものだ	将来はこんな家に住み**たいものだ**。 今度こそ実験が成功し**てほしいものだ**。	26
	〜ものだ	子供のころはこの川で泳いだ**ものだ**。	26
	〜ものだ	時間が過ぎるのは早い**ものだ**。	26
	〜ないもの（だろう）か	どうにかして母の病気が治ら**ないものか**。	26
	〜ものがある	毎日遠くから通勤するのはつらい**ものがある**。	26

こと	〜(のこと)となると	山口さんは山**のこととなると**目が輝く。	13
	〜ないことには	お金が**ないことには**、この計画は進められない。	15
	〜ことだし	雨もやんだ**ことだし**、ちょっと出かけてこよう。	17
	〜のことだから	みち子**のことだから**、きっと合格できるだろう。	17
	〜ことだ	太らないようにするには、夜遅く食べない**ことだ**。	24
	〜ことはない	電話で済むから、わざわざ行く**ことはない**。	24
	〜ことだ	いい友達がいるのはありがたい**ことだ**。	26
	〜ことだろう 〜ことか	この城を作るのに、何年かかった**ことだろう**。 早く寝ろと子供に何回注意した**ことか**。	26
	〜こと	⇒「〜しなさい・〜してはいけない」と指示を出す言い方。 ①【板書】レポートは5日までに提出する**こと**。 ②【立て札】この池では釣りをしない**こと**。 🔖 動 辞書形/ない形 ＋こと	*
	〜ことなく	⇒〜しないで、あることをする・ある状態だ。 ①夏の間も休む**ことなく**、原稿を書き続けた。 ②母は何を言われても怒る**ことなく**、いつもにこにこしていた。 🔖 動 辞書形 ＋ことなく	*
	〜ことに	⇒ある出来事に対する話者の感想を言う。 ①不思議な**ことに**、真冬なのに桜が咲いた。 ②ありがたい**ことに**、両親は健在です。 🔖 動 た形・ イ形 い・ ナ形 な ＋ことに	*
	〜ことは〜が	⇒「〜は事実だが」と前置きしてから、後のことを強調する。 ①この本は高い**ことは**高い**が**、とても役に立つ。 ②あの映画は見た**ことは**見た**が**、内容がよくわからなかった。 🔖 普通形(ナ形 だ –な・ 名 だ –な) ＋ことは ＋普通形 　　＋が	*
	〜ということだ 〜とのことだ	⇒伝聞の言い方 ①このレストランでは、野菜はすべて自家製のものを使ってい**るということだ**。 ②中山さんは今日来られない**とのことでした**。 🔖 普通形 ＋ということだ・とのことだ	*

練習1 （　　　）の中の言葉を適当な形にして、＿＿＿の上に書きなさい。

1 子供のころ、よくこの公園で＿＿＿＿＿＿ものだ。（遊ぶ）

2 お客様が帰るときは、見えなくなるまで＿＿＿＿＿＿ものですよ。（見送る）

　 すぐに家の中に＿＿＿＿＿＿ものではありませんよ。（入る）

3 せっかく手に入れた宝物を、そんなに簡単に他人に＿＿＿＿＿＿ものか。（渡す）

4 大切にしていたこの皿が欠けてしまったのは＿＿＿＿＿＿ものがある。（残念だ）

5 旅行の荷物はなるべく少なくしたいとは＿＿＿＿＿＿ものの、いろいろ持っていきたくなる。
　（思う）

6 わたしは動物アレルギーで、犬や猫の近くに＿＿＿＿＿＿ものなら、たちまちくしゃみが出
　始める。（寄る）

7 何にでも＿＿＿＿＿＿ものなら歌手になってみたい。（なる）

8 図書館の中では静かに＿＿＿＿＿＿ほしいものだ。（する）

9 国際化が＿＿＿＿＿＿とはいうものの、外国人との交流に慣れていない人は多い。（進む）

10 この余っている紙を何かに利用することは＿＿＿＿＿＿ものか。（できる）

11 昼ご飯は＿＿＿＿＿＿ことは＿＿＿＿＿＿が、時間がなかったのでおにぎり一つだけだ。
　　　　　　　　　　　　　　　　　　　　　　　　　　　　　　　　　　（食べる）

12 ジョギングを始めてみたが、果たしていつまで＿＿＿＿＿＿ことだろう。（続く）

13 天気も＿＿＿＿＿＿ことだし、散歩にでも行きませんか。　（いい）

14 ＿＿＿＿＿＿ことに、ケンさんは今日遅刻しないで来た。　（珍しい）

15 実際に＿＿＿＿＿＿ことには、そのゲームが面白いかどうかわからない。（やってみる）

16 かおりさんはもう書類は全部＿＿＿＿＿＿とのことだ。（提出する）

17 好きじゃなかったら、無理に＿＿＿＿＿＿ことはない。（食べる）

18 会社の近くに住んでいたなら、どんなに通勤が＿＿＿＿＿＿ことか。（楽だ）

19 うわさが本当かどうか知りたければ、直接本人に＿＿＿＿＿＿ことだ。（確かめる）

20 名曲は、いつの時代も＿＿＿＿＿＿ことなく愛される。（変わる）

練習2 「もの」か「こと」を_____の上に書きなさい。

1 【張り紙】部屋に入るときは必ずノックをする_____。

2 何とか締め切りの日を延ばしてもらえない_____だろうか。

3 この説明は、どうも納得できない_____がある。

4 困ったときあなたがいてくれて、どんなに心強かった_____か。

5 必ず行くと約束した_____の、実はあまり行きたくない。

6 山本先生の息子さんは、来年大学に入られるという_____だ。

7 ビデオカメラは持っている_____は持っているが、ほとんど使っていない。

8 早い_____で、今年もあと1か月だ。

9 念のために傘を持っていったが、使う_____なく持ち帰った。

10 外国語が得意な小川さんの_____だから、いい仕事が見つかるでしょう。

11 ちょっと今日は急いでいる_____ですから、お先に失礼します。

12 母は機械の_____となると、まるでだめだ。

練習3 適当なものを選びなさい。

1 わたしはちょっとでもお酒を（　　　　）、体中真っ赤になってしまう。

　　a 飲もうものなら　　　　　　　　b 飲めるものなら

　　c 飲んだことだから　　　　　　　d 飲めることには

2 このダイエット食品は、味の種類が多くておいしいので、（　　　　）続けられます。

　　a 飽きないもので　　　　　　　　b 飽きないことで

　　c 飽きることなく　　　　　　　　d 飽きるものではなく

3 スキーの道具を持っていなくても、貸してもらえますから、自分で（　　　　）。

　　a 買わないことです　　　　　　　b 買うことはありません

　　c 買わないものです　　　　　　　d 買うものではありません

4 高い服をもったいないからと着ないでいるのは、それこそもったいない（　　　　）。

　　a ことか　　　　b ものか　　　　c というものだ　　　d ということだ

5 驚いた（　　　　）、わたしとミキさんは生年月日が同じだった。

　　a ことに　　　　b もので　　　　c こととなると　　　d ものがあって

6 当時はお正月には毎年家族で神社にお参りに行った（　　　　）。

　　a ことがある　　　b ことだ　　　c ものがある　　　d ものだ

E 「わけ・ところ」を使った言い方

N2の文法形式には「わけ」「ところ」を使ったものがあります。整理しておきましょう。

（＊はここで初めて学習する文法形式）

	文法形式	例	課
わけ	〜わけがない	こんなに重い物を一人で運べる**わけがない**。	12
	〜わけではない	いつでも電話に出られる**わけではない**。	12
	〜というわけではない	ペンならどれでも同じ**というわけではない**。	
	〜わけにはいかない	今日は試験なので、休む**わけにはいかない**。	18
	〜ないわけに（は）いかない	妹の結婚式に出席し**ないわけにはいかない**。	25
	〜わけだ 〜というわけだ	⇒当然そういうことになる。 ①そんなに残業しているんですか。それでは疲れる**わけ**ですよ。 ②会費は1人1,500円です。ということは7人で1万500円になる**わけ**ですね。 ③産地直送ですか。それで安い**というわけ**ですね。 ✎普通形（ナ形だ–な/–である・名だ–の/–な/–である）　＋わけだ ✎普通形（ナ形（だ）・名（だ））　＋というわけだ	＊
ところ	〜どころではない 〜どころか	連休中も休む**どころではなく**、毎日残業だ。 部屋の中は涼しい**どころか**、35度もあった。	12
	〜どころではない	眠くて仕事**どころではない**。	18
	〜たところ	メールを送っ**たところ**、すぐに返事が来た。	20
	〜ところだった	もう少しで車にぶつかる**ところだった**。	20
	〜ところから 〜ことから	⇒ある出来事の直接の原因や、判断や決定の根拠を言う。 ①この木は雪がかかったように花が咲く**ところから**、「雪柳」という名前がついた。 ②同じ町の出身だとわかった**ことから**、彼女と親しくなった。 ③顔がとてもよく似ている**ことから**、二人は兄弟だとすぐにわかった。 ✎普通形（ナ形だ–な/–である・名だ–である）　＋ところから・ことから	＊

練習1 適当なものを選びなさい。

1 日本で就職活動をしなければならないので、今年の夏は国へ（　　　）。

   a 帰るわけにはいかない　　　　　　　b 帰らないわけにはいかない

   c 帰るわけではない　　　　　　　　　d 帰らないわけではない

2 普段は外食が多いが、料理が（　　　）。忙しいのだ。

   a できるわけにはいかない　　　　　　b できないわけにはいかない

   c できるわけではない　　　　　　　　d できないわけではない

3 ダイエットを始めたが、やせる（　　　）逆に太ってしまった。

   a ところが　　　　　　　　　　　　　b どころか

   c ところで　　　　　　　　　　　　　d どころで

4 新聞の広告を見てさっそく商品を注文した（　　　）、すぐに商品が送られてきた。

   a ところで　　　　　　　　　　　　　b ところを

   c ところ　　　　　　　　　　　　　　d ところが

5 子供の時に1度会っただけの人の顔を（　　　）。

   a 覚えているわけにはいかない　　　　b 覚えているわけがない

   c 覚えていないわけではない　　　　　d 覚えていないわけだ

6 駅にあと1分遅く着いたら、電車に（　　　）。

   a 乗れないところだった　　　　　　　b 乗れるどころではなかった

   c 乗れないわけだった　　　　　　　　d 乗れるわけではなかった

練習2 「ところ」か「どころ」か「わけ」を_____の上に書きなさい。

1 前にその本を買ったことをすっかり忘れて、もう一冊買ってしまう_____だった。

2 今は働いていないが、働きたくない_____ではない。

3 バスはすいている_____か、超満員だった。

4 琵琶湖の名は、形が琵琶という楽器に似ている_____からつけられた。

5 飛行機は朝早いですが、眠ければ機内で寝てしまえばいい_____ですから、大丈夫です。

6 このココア、そんなに砂糖が入っているんですか。道理で甘い_____だ。

F 二つの言葉を組にする言い方・助詞

　N2の文法形式には、同じ言葉、対になる言葉を2回重ねて言う表現があります。同じ言葉を重ねるのは、主に例を挙げるものです。また、特別な使い方の助詞も整理しましょう。

（＊はここで初めて学習する文法形式）

文法形式	例	課
～やら～やら	四角いもの**やら**丸いもの**やら**いろいろな形の皿がある。	10
～というか～というか	このクラスはうるさい**というか**にぎやか**というか**……。	10
～にしても～にしても ～にしろ～にしろ ～にせよ～にせよ	野菜**にしても**魚**にしても**、材料は新鮮なほうがいい。 入院する**にしろ**通院する**にしろ**、お金がかかるだろう。 与党**にせよ**野党**にせよ**、リーダーは責任が重い。	10
～だの～だの	⇒うんざりというニュアンスで例を挙げる。 話し言葉 ①弟の部屋は、紙くず**だの**空きかん**だの**でいっぱいだ。 ②隣のうちの人は、ごみの出し方が悪い**だの**夜の洗濯はだめ**だの**、文句ばかり言う。 🖉 名・普通形（ナ形だ・名だ）　＋だの	＊
～か～ないかのうちに	夜が明けた**か**明け**ないかのうちに**家を出た。	1
～（よ）うか～まいか	旅行に行こ**うか**行く**まいか**迷っている。	24

助詞	文法形式	例	課
とは	～とは	留学**とは**外国で勉強することだ。	13
ぐらい・くらい	～ぐらい・～くらい	わからない言葉**ぐらい**調べてきなさい。	21
など・なんか・なんて	～など・～なんか・ ～なんて	医者に**なんか**ならなければよかった。	21
まで	～まで・～までして	この山小屋には電子レンジ**まで**ある。 借金**まで**して車を買うんですか。	21
として	～として～ない	この寒さには1日**として**我慢できない。	21
さえ	～さえ	のどが痛くておかゆ**さえ**食べられない。 お金**さえ**あれば、この困難を乗り切れる。	21
のみ	～のみ	⇒限定を表す。 硬い言い方 ①ここから先は、関係者**のみ**入場可とする。 ②土日**のみ**のアルバイトを探している。 🖉 名　＋のみ	＊

練習1　□□□から最も適当な言い方を選び、（　　　）の中の言葉を適当な形にして、＿＿＿の
　　　　上に書きなさい。

| ～か～ないかのうちに | ～（よ）うか～まいか | ～やら～やら |
| ～というか～というか | ～にしても～にしても | ～だの～だの |

1　この作家の文章は＿＿＿＿＿＿＿＿＿＿＿＿＿＿＿＿＿、とにかく深刻であることは確かだ。

（重い・暗い）

2　弟は毎朝＿＿＿＿＿＿＿＿＿＿＿＿＿＿＿＿＿＿＿と言って、なかなか起きようとしない。

（頭が痛い・おなかが痛い）

3　引っ越したばかりで、＿＿＿＿＿＿＿＿＿＿＿＿＿＿＿＿＿＿買わなければならない
　　ものがいろいろある。　　　　　　　　　　　　　　　　　　　　　　　（カーテン・机）

4　＿＿＿＿＿＿＿＿＿＿＿＿＿＿＿＿＿＿＿＿＿＿＿、映画を見るのは楽しい。

（映画館で見る・DVDで見る）

5　＿＿＿＿＿＿＿＿＿＿＿＿＿＿＿＿＿＿＿、メールの返事が来た。　（5分たつ・たたない）

6　少し高そうな店だったので、＿＿＿＿＿＿＿＿＿＿＿＿＿＿＿＿しばらく中の様子を
　　のぞきながら考えていた。　　　　　　　　　　　　　　　　　　　　　（入る・入らない）

練習2　□□□から適当なものを選び、＿＿＿の上に書きなさい。
　　　　（一つの言葉を1回だけ使います。）

| とは　　ぐらい　　など　　のみ　　まで　　さえ　　として |

1　交通の便＿＿＿＿＿＿よければ、この町はもっと観光客が増えると思うのですが……。
2　【注意書き】こちらの商品のご注文は、お一人様1点＿＿＿＿＿＿とさせていただきます。
3　大雨が降ると聞いて長靴＿＿＿＿＿＿履いていったが、午後は晴れた。
4　小学校に上がる前に、自分の名前＿＿＿＿＿＿は読み書きできたほうがいい。
5　わたしはうそ＿＿＿＿＿＿言っていない。全部本当のことだ。
6　一生の仕事＿＿＿＿＿＿どういうことかをよく考えて、会社を辞めた。
7　このボタンは手作りなので、全く同じものは一つ＿＿＿＿＿＿ない。

G 文法的性質の整理

　N2の文法形式は、それぞれに文法的性質を持っていて、文を作るときの制約になります。以下のような文法的性質に気をつけながら学習しましょう。

1 事実か気持ちが入っているか

a) 後に話者の希望・意向を表す文や働きかけの文が来る

　〜次第（3課）　　〜ものなら（15課）　　〜からには・〜以上は・〜上は（17課）

　〜ことだし（17課）　　〜てでも（21課）

b) 後に話者の希望・意向を表す文や働きかけの文は来ない

　〜たとたん（に）（1課）　　〜（か）と思うと・〜（か）と思ったら（1課）

　〜か〜ないかのうちに（1課）　　〜もかまわず（11課）　　〜にもかかわらず（14課）

　〜ものの・〜とはいうものの（14課）　　〜とすると・〜となると（15課）　　〜ものだから（16課）

　〜おかげだ／〜せいだ（16課）　　〜あまり・あまりの〜に（16課）　　〜だけに（17課）

　〜ばかりに（17課）　　〜たところ（20課）　　〜きり（20課）

c) 後に推量の文が来る

　〜（よ）うものなら（15課）　　〜のことだから（17課）

2 自分か他者か

a) 一人称が主語の文で使う

　〜わけにはいかない（18課）　　〜てしかたがない（25課）　　〜てならない（25課）

　〜ないではいられない・〜ずにはいられない（25課）　　〜ないわけに（は）いかない（25課）

　〜ざるを得ない（25課）　　〜たいものだ（26課）

b) 三人称が主語の文で使う

　〜（か）と思うと・〜（か）と思ったら（1課）　　〜とみえる（22課）

3 プラスイメージかマイナスイメージか

a) 後に主にマイナスイメージの文が来る、または全体としてマイナスイメージの文になる

　〜ばかりだ・〜一方だ（2課）　　〜せいだ（16課）　　〜ばかりに（17課）

　〜どころではない（18課）　　〜あげく（20課）　　〜ずじまいだ（20課）　　〜かねない（22課）

　〜おそれがある（22課）　　〜てならない（25課）

b) 後に主にプラスイメージの文が来る、または全体としてプラスイメージの文になる

　〜にかけては（7課）　　〜おかげだ（16課）　　〜だけ（のことは）ある（19課）

練習1 どちらか適当な方を選びなさい。

1 詳しい情報が入り次第、
   a お知らせいたします。
   b 関係者が知らせてくれた。

2 手術を避けられるものなら
   a 避けたいのだが、そうはいかないだろう。
   b ほかの治療方法があるのではないか。

3 山川先生が病気だと聞いたからには
   a ぜひお見舞いに行かなくては。
   b あしたお見舞いに行くことにした。

4 夕立がやんだかと思ったら、
   a すぐに工事を再開しよう。
   b もう太陽が出てきた。

5   a 営業の仕事が忙しいので、人目もかまわずバスの中で昼ご飯を食べようと思う。
   b 営業の仕事が忙しいらしく、彼は人目もかまわずバスの中で昼ご飯を食べている。

6 年末は道路が渋滞するものだから、
   a ふるさとへは電車で行きなさい。
   b ふるさとへは電車で行くことにした。

7 いつもとは違うコースをドライブしてみたところ、
   a 珍しい景色を楽しみましょう。
   b 珍しい景色に出会えた。

8 泣いている子供を見て、
   a 母は声をかけずにはいられなかった。
   b わたしは声をかけずにはいられなかった。

9   a わたしもこんなすばらしい花の庭を作ってみたいものだ。
   b 花子さんもこんなすばらしい花の庭を作ってみたいものらしい。

10   a 玄関のチャイムが鳴ったかと思うと、大勢のお客さんが入ってきた。
   b 今日はとても眠かった。夕食を食べ終わったかと思うとすぐ寝てしまった。

11   a わたしはどうも風邪を引いたとみえる。熱がある。
   b あの人は風邪を引いているとみえる。さっきからせきばかりしている。

12 この報告書だと、また課長に
   a 文句を言われかねない。
   b ほめられかねない。

13 右手の指にけがをしたばかりに、
   a パソコンをいつもの速さで打てなかった。
   b まゆみさんが親切に包帯を巻いてくれた。

14 夜、コーヒーを1杯飲んだばかりに、
   a 明け方まで眠れなかった。
   b 明け方まで試験勉強がよくできた。

実力養成編　第2部　文の文法2

　語と語を結びつけて意味の通る文を組み立てるためには、文法的な決まりを考えながら語を並べていかなければなりません。文法形式の意味や用法がわかることだけではなく、実際に文を組み立てられることが大切です。

1課 文の組み立て－1 決まった形

　文を組み立てるときは、組み立てのルールに従わなければなりません。そのうち、ぜひ覚えておくべきルールは次のようなものです。

1 後に否定の言い方が来るもの

・～てからでないと	現地を見てからでないと、何とも申し上げられ**ません**。（第1部3課）
・～に限って	あの子に限ってうそをつく**はずがない**。（第1部5課）
・～からといって	正月だからといって、仕事を休める**わけではない**。（第1部14課）
	安いからといって、品質が悪い**とは限らない**。
・～ないことには	体力がないことには、責任のある仕事は**できない**。（第1部15課）
・～を抜きにしては	山下さんを抜きにしては、この計画は実行**できない**。（第1部15課）
・～として～ない	1日として酒を飲まない日は**なかった**。（第1部21課）

2 疑問詞につくもの

・～にしても・にしろ・にせよ	**どちら**にしてもやらなければならないことは同じだ。（第1部15課）
・～として～ない	**だれ**一人として会長の意見に賛成する者はいなかった。（第1部21課）
・～ことだろう・ことか	あの子にはもう**何度**注意したことか。（第1部26課）

3 数字につくもの

| ・～として～ない | 古い本を**1冊**として残さず、捨ててしまった。（第1部21課） |

4 後に名詞が来るもの

| ・～といった | わたしはうどん、そばといった**めん類**が好きだ。（第1部10課） |

5 だいたい決まった組み合わせで使うもの

・～さえ～ば	弟は暇さえあればインターネットで何か見ている。（第1部21課）
・～を～にして	漢字をもとにして、ひらがなとカタカナが作られた。
・～を～として	昨夜、関東地方を中心として、大雨が降った。
・たとえ～としても・ 　にしても・にしろ・にせよ	たとえ正解でないにしても、大きく間違ってはいないはずだ。 （第1部15課）
・なにも～ことはない	なにもそんなに怒ることはないでしょう。（第1部24課）
・なんと～ことだろう・ことか	マリさんの分析力はなんと鋭いことだろう。（第1部26課）

練習1　次の文の＿＿★＿＿に入る最もよいものを１・２・３・４の中から一つ選びなさい。

1　一度ぐらい店長にしかられた＿＿＿＿＿　＿＿＿＿＿　★　＿＿＿＿＿でしょう。
　　1　ことはない　　　　2　なにも　　　　　　3　からといって　　4　店を辞める

2　ぜひ買ってほしいと＿＿＿＿＿　＿＿＿＿＿　★　＿＿＿＿＿気にはなりません。
　　1　買う　　　　　　　2　言われても　　　　3　でないと　　　　4　現物を見てから

3　帰国の前日、家具が＿＿＿＿＿　＿＿＿＿＿　★　＿＿＿＿＿部屋を掃除した。
　　1　として　　　　　　2　一つ　　　　　　　3　残っていない　　4　何

4　わたしの主張が認められなくて＿＿＿＿＿　＿＿＿＿＿　★　＿＿＿＿＿と思う。
　　1　悔しかった　　　　2　どんなに　　　　　3　わかってもらえない　　4　ことか

5　君が＿＿＿＿＿＿＿　★　＿＿＿＿＿から必ず来てくれ。
　　1　バンド演奏が　　　2　来ない　　　　　　3　できない　　　　4　ことには

6　あいさつを＿＿＿＿＿　＿＿＿＿＿　★　＿＿＿＿＿決めておかなければならない。
　　1　頼む　　　　　　　2　スケジュールは　　3　にしても　　　　4　だれに

7　このたび、この町の＿＿＿＿＿　＿＿＿＿＿　★　＿＿＿＿＿会が活動を開始しました。
　　1　する　　　　　　　2　目的と　　　　　　3　交流を　　　　　4　外国人と日本人の

8　彼はたとえ＿＿＿＿＿　＿＿＿＿＿　★　＿＿＿＿＿だろう。
　　1　一度決めた　　　　2　にしても　　　　　3　進路を変えない　　4　困難である

9　うちでは＿＿＿＿＿　＿＿＿＿＿　★　＿＿＿＿＿専業主婦のわたしがやっているんです。
　　1　といった　　　　　2　面倒なことは　　　3　家事や育児　　　4　みんな

10　この村は＿＿＿＿＿　＿＿＿＿＿　★　＿＿＿＿＿としてもっと発展するのに。
　　1　さえ　　　　　　　2　観光の名所　　　　3　よければ　　　　4　交通の便

11　周囲の人たちの＿＿＿＿＿　＿＿＿＿＿　★　＿＿＿＿＿と思う。
　　1　協力を　　　　　　2　優勝は　　　　　　3　無理だった　　　4　抜きにしては

12　H氏に＿＿＿＿＿　＿＿＿＿＿　★　＿＿＿＿＿と思っていたのに……。
　　1　発言をする　　　　2　はずはない　　　　3　限って　　　　　4　そんな

　名詞を説明するには、名詞に「の」をつけて前に置く、形容詞を用いる、文の終わりを普通形にして前に置く以外に、次のような形式があります。

---

1 助詞＋の＋ 名詞

・東京駅まで行く切符 → 東京駅までの 切符
・踏み切りで起こった事故 → 踏み切りでの 事故
・両親とした話し合い → 両親との 話し合い
・母にあげる贈り物 → 母への 贈り物 （× 母にの 贈り物 ）

---

2 助詞相当語＋の＋ 名詞

（動詞などを説明する形）　　　　　　　（名詞を説明する形）

・就職するにあたって**必要な**準備　　→　就職するにあたっての 準備 （第1部1課）
・試験開始に際して**伝える**注意事項　→　試験開始に際しての 注意事項 （第1部1課）
・新しい監督のもとで**行う**練習　　　→　新しい監督のもとでの 練習 （第1部8課）
・大使館を通じて**行う**連絡　　　　　→　大使館を通じての 連絡 （第1部4課）
・親として**果たす**責任　　　　　　　→　親としての 責任 （第1部19課）

---

3 助詞相当語のた形・辞書形＋ 名詞

（動詞などを説明する形　て形）　　　　（名詞を説明する形　た形）

・民謡をもとにして**作った**歌　　　　→　民謡をもとにした 歌 （第1部8課）
・経験に基づいて**判断する**　　　　　→　経験に基づいた 判断 （第1部8課）
・計画表に沿って作業を**進める**　　　→　計画表に沿った作業の 進行 （第1部8課）
・年齢に応じて運動量を**調整する**　　→　年齢に応じた 運動量 の調整（第1部9課）

（動詞などを説明する形　て形）	（名詞を説明する形　辞書形）
・工事は5年にわたって**続けられた**	→　5年にわたる 工事 （第1部4課）
・桜をはじめとしていろいろな花が**咲く**	→　桜をはじめとするいろいろな 花 （第1部4課）
・事故原因に関して**調べる**	→　事故原因に関する 調査 （第1部7課）
・目上の人に対して礼儀正しく**する**	→　目上の人に対する 礼儀 （第1部7課）
・要望にこたえて予算を**組み替えた**	→　要望にこたえる予算の 組み替え （第1部7課）
・創立者の精神に基づいて**教育する**	→　創立者の精神に基づく 教育 （第1部8課）
・政府の方針に沿って開発を**計画する**	→　政府の方針に沿う 開発計画 （第1部8課）
・体力向上に伴って気力も**回復する**	→　体力向上に伴う気力の 回復 （第1部9課）
・地震によって津波が**起きた**	→　地震による 津波 （第1部16課）
・京都において会議が**開かれた**	→　京都における 会議 （第1部A）

4 「～という・～との」＋ 名詞 （内容を説明する場合）

・弟が学校の窓ガラスを割った<u>という</u> 知らせ

・リンさんは話がとても面白い<u>という</u> 評判

・兄が結婚する<u>との</u> 手紙

＊同時に形容詞や、「その」「あの」「そんな」などでも説明する場合は、ふつうそれらを名詞のすぐ前に置く。

・兄が結婚する<u>という</u> うれしい 手紙

・おばけが出る<u>という</u> 変な うわさ

・日本チームが金メダルを取った<u>という</u> あの ニュース

練習1　どちらか適当な方を選びなさい。

1 （a 現場へ　　b 現場への）直行するときは、先に知らせてください。

2 あしたの会では（a 外国から　　b 外国からの）お客様が歌ったり踊ったりするそうで、楽しみです。

3 （a 向こうから　　b 向こうからの）バスが来ますが、公園行きでしょうか。

4 （a 母に　　b 母への）プレゼントしたいと思って、花を買いに行った。

5 本田氏は有能な経営者（a として　　b としての）国の内外で知られている。

6 本製品ご使用（a にあたって　　b にあたっての）下記のような点にご注意ください。

7 数学の歴史（a について　　b についての）本を探した。

8 若者の職業意識（a に関して　　b に関する）研究所で調査した結果を雑誌に発表した。

9 彼は有名なクラシック音楽（a をもとにして　　b をもとにした）日本人向けに編曲した歌を作っています。

10 この店はパーティーの予算（a に応じて　　b に応じた）献立が好評だ。

11 1週間（a にわたって　　b にわたる）特別研修が明日で終わる。

12 電気製品は法律（a に基づいて　　b に基づく）処理によって、リサイクルが進められる。

13 君の言い方はお客様（a に対して　　b に対する）失礼ではないですか。

[練習2] 次の文の___★___に入る最もよいものを１・２・３・４の中から一つ選びなさい。

1 新しい店をオープンする___ ___ ★ ___かたまってきた。

  1　の　　　　　　　　2　ようやく　　　　　3　にあたって　　　4　方針が

2 市民の___ ___ ★ ___目指しています。

  1　街づくりを　　　　2　願いに　　　　　　3　こたえる　　　　4　しっかり

3 今世紀に___ ___ ★ ___この世からなくすことだ。

  1　課題の一つは　　　2　最大の　　　　　　3　人種差別を　　　4　おける

4 今朝の新聞に、8歳の子が___ ___ ★ ___記事が載っていた。

  1　という　　　　　　2　一人で　　　　　　3　びっくりするような　　4　全国を旅した

5 母が日本へ来る___ ___ ★ ___大好きな食品が数々送られてきた。

  1　とともに　　　　　2　との　　　　　　　3　兄からの　　　　4　知らせ

6 地球温暖化に___ ___ ★ ___面でも深刻な問題である。

  1　経済的な　　　　　2　影響は　　　　　　3　天候の変化の　　4　よる

7 うちの子は、夜遅く寝て___ ___ ★ ___習慣がついてしまった。

  1　遅く起きる　　　　2　困った　　　　　　3　という　　　　　4　朝は

8 気温の変化に___ ___ ★ ___楽しみにもなっている。

  1　景色の　　　　　　2　人々の暮らしの　　3　移り変わりは　　4　伴う

9 母から、___ ___ ★ ___写真とともに届いた。

  1　メールが　　　　　2　いい香りの　　　　3　という　　　　　4　花が咲いた

10 この週刊誌に、現地で___ ___ ★ ___記事が載っている。

  1　事実に　　　　　　2　調べた　　　　　　3　基づく　　　　　4　くわしく

11 マニュアル___ ___ ★ ___できないと思います。

  1　に沿った　　　　　2　いい営業は　　　　3　だけでは　　　　4　対応

12 現代の若者の、___ ___ ★ ___先生はどう思われますか。

  1　政治　　　　　　　2　無関心　　　　　　3　に対する　　　　4　について

3課 文の組み立て - 3 「〜ない」がつく文法形式

N2の文法形式には否定の形「〜ない」がつくものが多いです。「ない」がどんな言葉とつながっているかを覚えておくと、効率的に文を組み立てることができるでしょう。

ないにつながる形		例	課
〜わけが	ない	あの子が事故を起こす**わけがない**。	12
〜どころでは	ない	外は小雨**どころではない**。大荒れだ。	12
〜わけでは	ない	わたしは毎日早起きする**わけではない**。	12
〜というわけでは	ない	勉強は楽しくない**というわけではない**。	12
〜というものでは	ない	安ければいい**というものではない**。	12
〜ようが	ない	そんな質問には答え**ようがない**。	18
〜どころでは	ない	暑くてマラソンする**どころではない**。	18
〜しか	ない	謝って許してもらう**しかない**。	23
〜よりほか		銀行からお金を借りる**よりほかない**。	
〜ものでは	ない	人の悪口など言う**ものではない**。	24
〜ことは	ない	そんなに心配する**ことはありません**よ。	24
〜てしかたが	ない	このごろ目が疲れ**てしかたがない**。	25
〜わけには	いかない	ここで仕事を辞める**わけにはいかない**。	18
〜に	違いない	この商品は売れる**に違いない**。	22
	相違ない	この治療法は効果的である**に相違ない**。	
〜に	すぎない	ただやるべきことをやった**にすぎない**。	23
〜に	ほかならない	仕事は生活のため**にほかならない**。	23
〜に	越したことはない	早めに行く**に越したことはない**。	23
〜て	たまらない	のどが渇い**てたまらない**。	25
〜て	ならない	検査の結果が気になっ**てならない**。	25
〜ないでは	いられない	お酒を飲ま**ないではいられない**。	25
〜ずには		おかしくて笑わ**ずにはいられなかった**。	
〜ないわけに(は)	いかない	病院へ行か**ないわけにはいかない**。	25
〜ざるを	得ない	この説明は不十分と言わ**ざるを得ない**。	25

練習1 次の文の___★___に入る最もよいものを１・２・３・４の中から一つ選びなさい。

1 これは難しい_____ _____ ★ _____ない。

　　1 読める　　　　　2 ５歳の子に　　　3 わけが　　　　4 漢字だから

2 せっかくの連休に子供が_____ _____ ★ _____ずっと子供のそばにいた。

　　1 遊びに行く　　　2 熱を出して　　　3 ではなく　　　4 どころ

3 この病気は_____ _____ ★ _____時間をかけて体質改善をしなければならない。

　　1 治る　　　　　　2 という　　　　　3 薬を飲めば　　4 ものではなく

4 知らないことは_____ _____ ★ _____友達にしつこく聞かれた。

　　1 ある人の　　　　2 ないのに　　　　3 問題について　4 答えようが

5 初めは単なる_____ _____ ★ _____わかって驚いた。

　　1 事実だと　　　　2 すぎないと　　　3 うわさに　　　4 思っていたことが

6 最近、最後まで_____ _____ ★ _____番組が多い。

　　1 おもしろい　　　2 いられない　　　3 見ずには　　　4 ような

7 今後どうなるか_____ _____ ★ _____ありませんよ。

　　1 今から心配する　2 わからない　　　3 ことを　　　　4 ことは

8 どんな時にも_____ _____ ★ _____、お金には代えられないものもある。

　　1 お金は　　　　　2 越したことは　　3 あるに　　　　4 ないが

9 父が_____ _____ ★ _____わけにはいかなかった。

　　1 失望する　　　　2 話す　　　　　　3 本当のことを　4 かと思うと

10 人生には、時間が過ぎるのを_____ _____ ★ _____ある。

　　1 待つ　　　　　　2 しかない　　　　3 静かに　　　　4 ことも

11 この仕事が無事に_____ _____ ★ _____、心から感謝している。

　　1 チームワークが　2 終わったのは　　3 ほかならず　　4 よかったからに

12 明日にでも_____ _____ ★ _____わけではありませんが、慎重に考えたほうがいいですよ。

　　1 気持ちも　　　　2 という　　　　　3 会社を辞めたい　4 わからない

実力養成編　第3部　文章の文法

　　文はいくつか連なって一続きのまとまり(文章)になります。しかし、一文一文がただ並んでいるだけでは文章とは言えません。一連の文がまとまって文章という単位になるには、文がゆるやかな決まりに従ってつながっている必要があります。文章にまとまりを与えるゆるやかな決まりが「文章の文法」と呼ばれるものです。

　文章にまとまりを持たせるためには、文と文とが自然につながるようにすることが大切です。その基本として、それぞれの文も始めと終わりが正しく対応していなければなりません。それには、以下のことに注意する必要があります。

A　主語と述語の対応

◆主語と述語の関係には次の四つの型があります。長い文では主語と述語が離れていますから、注意が必要です。

主語	述語	例
何　が（は） 名詞	何　だ。 名詞	ここは50年前、静かな農村だった。 事故の原因はスピードの出しすぎである。
何　が（は） 名詞	どうだ。 イ・ナ形容詞	富士山は雪景色が特に素晴らしい。 健康な生活をおくるには、良い生活習慣が大切だ。
何　が（は） 名詞	どうする。 動詞	明日からYホールでゴッホの展覧会が開かれる。 今年は、この地方は4回も台風の被害を受けた。
何　が（は） 名詞	ある・いる。	駅前には自転車置き場が数か所ある。 わたしは今、ゆっくりテレビを見る時間がない。

B　文末の制限‐1　決まった文末をとる表現

１．なぜなら・というのは・なぜかというと　＋～から（ため）である　→第3部10課

　例・わたしは結局国へは帰らないで、日本に残ることにした。というのは、日本の精神風土がわたしに合っていると思われたからである。

２．～かというと　＋「～」を否定する文

　例・この作家の作品がすべて歴史的なものばかりかというと、そんなことはない。中には軽いタッチの旅行案内もある。

３．～の（＝理由・原因）は　＋…から（ため）である・…である

　例・今年の米の収穫量がいつもの年より少なかったのは、夏、天候が安定しなかったためである。
　　・わたしは教師の道を選んだ。迷いなく選んだのは、教師だった父の影響だろう。

4．～には　＋…がいる・…がある・…が多い・…が見られる

例・この地球上には、貧しいために教育を受けられない子供たちがいる。
　　・このアンケート調査には、いくつか不十分な点がある。

5．～には　＋…が必要だ・…が便利だ・…がかかる・…なければならない

例・我々は大きな仕事を頼まれた。期待に応えるにはしっかり協力し合うことが必要だ。
　　・わたしの教育方針を理解してもらうには時間がかかる。丁寧に説明していかなければならない。

C　文末の制限−2　決まった文末をとる副詞

副詞	文末	例
全く たいして めったに 少しも 決して なにも 必ずしも	否定	わたしは進学することは**全く**考えていない。 車の修理には**たいして**費用はかからなかった。 こんな素晴らしい景色は**めったに**見られない。 健康についてはわたしは**少しも**心配していない。 わたしは料理に化学調味料は**決して**使いません。 **なにも**そんなに怒ることはないでしょう。 値段が高いものが**必ずしも**いいとは限らない。
どうも・どうやら もしかしたら 恐らく まさか きっと	推量・ 否定の推量	あの二人は**どうやら**恋人同士のようだ。 **もしかしたら**、林さんは今日来ないかもしれない。 **恐らく**週末は忙しくなるだろう。 **まさか**林さんは不合格にはならないだろう。 彼は今ごろ**きっと**困っているに違いない。
まるで 今にも	様態	地面に桜が散って、**まるで**雪が降ったかのようだ。 あの子は**今にも**泣き出しそうな顔をしている。
一段と・ますます 次第に・徐々に	変化	最近、太郎は**一段と**大人っぽくなった。 今後、経済は**次第に**回復していくだろう。
いったい 果たして	質問	**いったい**君は何を考えているのか。 **果たして**わたしの予想は当たるだろうか。
すでに	完了	**すでに**会場の準備は整っている。

練習1　どちらか適当な方を選びなさい。

1　今、一番楽しみなのは、
　　a　富士山に登って頂上から日の出を見たい。
　　b　来週のパーティーで世界の各地から来た人たちと交流することだ。

2　アンケートに答えた人の中には、
　　a　政治には全く期待できないという人もいた。
　　b　27％の人が、政治には期待できないと答えた。

3　都会で一人暮らしをする上で気をつけるべきことは、
　　a　防犯と日常の食事である。
　　b　防犯と食事には特に注意する必要がある。

4　最近の新入社員には、
　　a　指示を受けてからでないと行動できない傾向が見られる。
　　b　どうも指示を待ってからでないと行動できないらしい。

5　この事故の原因は、
　　a　運転手が長時間労働のため、睡眠不足だったようだ。
　　b　運転手の長時間労働による睡眠不足であるという。

6　この複雑なデータを処理するには
　　a　パソコンを使ってすぐやってしまおう。
　　b　パソコンを使っても半日はかかる。

練習2　どちらか適当な方を選びなさい。

　マクラメが似合う季節になった。マクラメ編みのテーブルセンターやベルトなどが（①a　よく見かける　　b　店先に並んでいる）。マクラメとは、ひもを何度も結び合わせて作っていく（②a　工芸が美しい　　b　工芸のことである）。ひものような細長いものなら何でも使える。麻糸、ビニールのひも、毛糸など。材料費がそれほど（③a　高くないし　　b　安いし）、道具も全く（④a　使わないから　　b　簡単だから）、だれでも作れる。

　マクラメ（macrame）という（⑤a　言葉は　　b　言葉には）、今は立派な英語になっているが、もともとは（⑥a　アラビア語になって　　b　アラビア語で）、ミクラマ（miqrama）といい、交差して結ぶという意味である。独特の編み方、結び方はイスラム文化の中で生まれた人類の最も古い技術の（⑦a　一つを言う　　b　一つである）。その後、北イタリアで盛んになり、今日に伝わる。19世紀、地中海貿易の船乗りたちも、恐らく長い船上での生活に退屈し、このマクラメを（⑧a　覚えたのだ　　b　覚えたのだろう）。マクラメの材料に麻糸が使われることが多いのも、もしかしたら、それが彼らにとって唯一手に入る（⑨a　材料だったからかもしれない　　b　材料だったと思われる）。

まとめ 次の文章を読んで、文章全体の内容を考えて、□1□ から □5□ の中に入る最もよいものを１・２・３・４から一つ選びなさい。

最終的に私が出版を決断した理由はただ一つ、本書を手に取って下さった方が、改めて物語の魅力(みりょく)を確認(かくにん)し、物語の役割に目覚め、「ああ、本を □1□ 何と素晴(すば)らしいことであろうか」と思ってくれたら、との願いが □2□ 。

もし他所の星から来た生物が、本を読んでいる人間を見たらどう思うだろう、と私は想像することがあります。小さな箱型の紙の束を手に、ただじっと座(すわ)っているだけで、あるいは寝転(ねころ)がっているだけで、時折、一枚紙がめくられる以外変化はなく、ただ静かに時間が過ぎてゆく。いくら辛抱(しんぼう)強く待っていても、何か新しい製品が生み出されるわけでもない。□3□ 何の得があって人間たちはこんな地味な営みをしているのか？ きっとそんなふうに首を □4□ 。

その時人間の心がどれほど劇的に揺(ゆ)さぶられているか、それは目に見えません。効果を数字によって測ることも不可能です。だからこそかけがえがないのだ、自分が自分であるための大切な証明になるのだ、ということを、くどいくらいに繰(く)り返(かえ)し語っているのが、□5□ 。

(小川洋子『物語の役割』ちくまプリマー新書による)

□1□

1　読めば　　　　　　　2　読むことは　　　　　3　読んでいれば　　　4　読んでいる人は

□2□

1　ありました　　　　　　　　　　　　　2　あったというのです

3　あったからなのです　　　　　　　　　4　あったはずなのです

□3□

1　一体(いったい)　　　　　2　確(たし)かに　　　　　3　どうやら　　　　　4　まさか

□4□

1　傾(かし)げたのです　　　　　　　　　　　2　傾げるでしょうか

3　傾げるようです　　　　　　　　　　　4　傾げるのではないでしょうか

□5□

1　本書(ほんしょ)です　　　　　　　　　　　2　理由(りゆう)です

3　本書であきらかになります　　　　　　4　本書の中で言いたいことです

1課　始めと終わりが正しく対応した文 —— 153

2課 時制<ruby>課<rt>か</rt></ruby><ruby>時制<rt>じせい</rt></ruby>

　<ruby>文章<rt>ぶんしょう</rt></ruby>としてのまとまりを<ruby>持<rt>も</rt></ruby>たせるためには、<ruby>時間<rt>じかん</rt></ruby>の<ruby>流<rt>なが</rt></ruby>れに<ruby>矛盾<rt>むじゅん</rt></ruby>がないように<ruby>文<rt>ぶん</rt></ruby>を<ruby>続<rt>つづ</rt></ruby>ける<ruby>必要<rt>ひつよう</rt></ruby>があります。また、ある<ruby>時点<rt>じてん</rt></ruby>での<ruby>出来事<rt>できごと</rt></ruby>を<ruby>言<rt>い</rt></ruby>っているのか、ある<ruby>時間幅<rt>じかんはば</rt></ruby>における<ruby>状態<rt>じょうたい</rt></ruby>のことを<ruby>言<rt>い</rt></ruby>っているのかをはっきりさせることも<ruby>大切<rt>たいせつ</rt></ruby>です。<ruby>特<rt>とく</rt></ruby>に<ruby>動詞<rt>どうし</rt></ruby>の<ruby>用法<rt>ようほう</rt></ruby>がポイントです。

A　動詞の現在形の用法

用法	例<ruby>例<rt>れい</rt></ruby>	動詞の種類<ruby>種類<rt>しゅるい</rt></ruby>
<ruby>未来<rt>みらい</rt></ruby>	わたしは来年、高校を**卒業する**。	<ruby>動<rt>うご</rt></ruby>きを<ruby>表<rt>あらわ</rt></ruby>す<ruby>動詞<rt>どうし</rt></ruby>
<ruby>現在<rt>げんざい</rt></ruby>	彼女はトラックの運転が**できる**。	<ruby>状態<rt>じょうたい</rt></ruby>を<ruby>表<rt>あらわ</rt></ruby>す<ruby>動詞<rt>どうし</rt></ruby>
	おなかが**痛む**。	<ruby>感覚<rt>かんかく</rt></ruby>を<ruby>表<rt>あらわ</rt></ruby>す<ruby>動詞<rt>どうし</rt></ruby>
	選手としてしっかり戦うことを**誓います**。	<ruby>行動<rt>こうどう</rt></ruby>の<ruby>宣言<rt>せんげん</rt></ruby>を<ruby>表<rt>あらわ</rt></ruby>す<ruby>動詞<rt>どうし</rt></ruby>
<ruby>時間<rt>じかん</rt></ruby>に<ruby>無関係<rt>むかんけい</rt></ruby>	太陽は東から上って西に**沈む**。	

＊<ruby>形容詞文<rt>けいようしぶん</rt></ruby>・<ruby>名詞文<rt>めいしぶん</rt></ruby>の<ruby>現在形<rt>げんざいけい</rt></ruby>は<ruby>現在<rt>げんざい</rt></ruby>のこと・<ruby>時間<rt>じかん</rt></ruby>に<ruby>無関係<rt>むかんけい</rt></ruby>なことを<ruby>表<rt>あらわ</rt></ruby>す。

B　動詞の過去形の用法

用法	例
<ruby>過去<rt>かこ</rt></ruby>	先週、アメリカから友達が**来た**。
<ruby>現在<rt>げんざい</rt></ruby>につながる<ruby>過去<rt>かこ</rt></ruby>	わたしはさっきからずっとここに**いた**。
<ruby>完了<rt>かんりょう</rt></ruby>の<ruby>結果<rt>けっか</rt></ruby>	わたしは最近**太った**。
<ruby>未来完了<rt>みらいかんりょう</rt></ruby>	あした集合時間に**遅れた**人は、自分で電車で来てください。
<ruby>形状<rt>けいじょう</rt></ruby>・<ruby>状態<rt>じょうたい</rt></ruby>	あの丸い形を**した**建物は何ですか。（名詞を説明する文の中で使う）
<ruby>生理状態<rt>せいりじょうたい</rt></ruby>	ああ、おなかが**すいた**。

＊<ruby>形容詞文<rt>けいようしぶん</rt></ruby>・<ruby>名詞文<rt>めいしぶん</rt></ruby>の<ruby>過去形<rt>かこけい</rt></ruby>は<ruby>過去<rt>かこ</rt></ruby>のことを<ruby>表<rt>あらわ</rt></ruby>す。

C　「〜ている」の用法<ruby>用法<rt>ようほう</rt></ruby>

用法	例
<ruby>動作<rt>どうさ</rt></ruby>・<ruby>事態<rt>じたい</rt></ruby>の<ruby>継続<rt>けいぞく</rt></ruby>	日本では子供の数が**減っている**。
<ruby>結果<rt>けっか</rt></ruby>の<ruby>存続<rt>そんぞく</rt></ruby>	電気が**消えている**。

形状・様子	この棒は先が**曲がっている**。
完了	20年後、わたしは社長に**なっている**だろう。 3時に会場に着いた。もうみんな**来ていた**。
経験・記録	彼は10年前に同じ病気で**入院している**。

D 複文の時制

◆複文は次のような構造になっています。（文の中に別の文が入り込んでいます。）

> わたしは 子供が熱を出した ときは、仕事を休む。

「わたしは仕事を休む」：主の文
「子供が熱を出した」：中の文

◆「〜とき・〜場合・〜際」などを使った複文や、名詞を説明する文を使った複文では、中の文の時制は話している時点に関係なく、主の文との時間的前後関係で決まります。（中の文に動きを表す動詞を使った場合）

a) 中の文のことが主の文のことより時間的に前のとき、中の文は過去形

> 例 ・来月 ハワイへ行った とき、ハワイにいる叔父を訪ねる予定だ。
>
> 　　　　 行った 　　→　　 訪ねる
> 　　　　　　　　（その後で）
>
> ・ 商品を間違って買った 場合、店に返品することができる。
> ・以前は、 この大学に入学した 人は、全員寮に入った。

b) 中の文のことが主の文のことより時間的に後のとき、中の文は現在形

> 例 ・子供のころ、 寝る とき、いつも母が本を読んでくれた。
>
> 　　　 読んでくれた 　　→　　 寝る
> 　　　　　　　　　　（その後で）
>
> ・ アメリカへ出発する 際、成田空港で写真を撮った。
> ・あした 国の母に送る 誕生日祝いを買います。

c) 主の文のことと中の文のことが同時のとき、中の文は現在形（または、主の文と同じ時制）

> 例 ・ 暑い日に外で仕事をする 人は、たくさん汗をかく。
>
> 　　 仕事をする 　　↔　　 汗をかく
> 　　　　　　　（同時）
>
> ・ わたしがパソコンで仕事をしている／していた 間、子供たちはテレビを見ていた。
> ・ このマンションを買う／買った とき、親のお金も使った。

練習1　（　　　　）の中の動詞を適当な形・適当な時制に変えなさい。

1　来週ここで留学説明会を（①行う→　　　　　　　　　）。（②来る→　　　　　　　　　）人に資料を渡すのがわたしの役目である。

2　夜遅くその町に着いた。すでに11時を（①過ぎる→　　　　　　　　　）。泊まることに（②する→　　　　　　　　　）友人宅には行かず、安い宿に（③泊まる→　　　　　　　　　）。

3　その夜、わたしは12時過ぎまで（①起きる→　　　　　　　　　）。雨が（②降る→　　　　　　　　　）。12時半ごろ、建物が強く揺れるのを（③感じる→　　　　　　　　　）。

4　今朝、踏み切りで事故が（①ある→　　　　　　　　　）らしく、電車が20分遅れた。新幹線のホームに着いたとき、（②乗る→　　　　　　　　　）はずだった新幹線はもう（③出る→　　　　　　　　　）。

5　家に（①帰る→　　　　　　　　　）のは12時ごろだったと思う。子供たちはもう（②寝る→　　　　　　　　　）が、妻はまだ本を（③読む→　　　　　　　　　）。テレビをつけると、学生のころ（④見る→　　　　　　　　　）映画を（⑤やる→　　　　　　　　　）。面白くて、途中でやめられず、結局明け方まで（⑥寝ない→　　　　　　　　　）。

練習2　（　　　　）の中の動詞を適当な形・適当な時制に変えなさい。

1　わたしは小さいころから動物が好きだった。当時（①飼う→　　　　　　　　　）犬や鳥はもちろん、公園のあひるや捨て猫も（②見る→　　　　　　　　　）だけで飽きなかった。興味の対象は小動物だけではなかった。（③荒れる→　　　　　　　　　）我が家の庭には、名前も知らない草木がたくさん（④生える→　　　　　　　　　）、そこにいろいろな虫が集まってきた。虫の観察も楽しく、時間を忘れた。その日もわたしは庭に出て、ありの観察をしていた。一生懸命食べ物を運ぶ姿が面白くて、かなり長い間（⑤見る→　　　　　　　　　）ような気がする。ふとそばに人の気配を感じて顔を上げると、そこに母が（⑥立つ→　　　　　　　　　）。母は（⑦困る→　　　　　　　　　）ような顔をしていた。

2　国土交通省は地球温暖化対策として、自転車に期待を（①寄せる→　　　　　　　　　）。今まで車を（②使う→　　　　　　　　　）人が自転車を利用するようになれば、二酸化炭素が出るのを大きく減らすことが（③できる→　　　　　　　　　）。だが、現在、自転車利用者のための対策が（④遅れる→　　　　　　　　　）。自転車事故なども（⑤増える→　　　　　　　　　）ことから、国土交通省はようやく自転車道路の整備に（⑥乗り出す→　　　　　　　　　）。

まとめ 次の文章を読んで、文章全体の内容を考えて、　1　から　5　の中に入る最もよいものを1・2・3・4から一つ選びなさい。

　　ここにある小説は、作者である「わたし」の手を離れて久しいものばかりです。

　　　1　その瞬間に、すでに小説は作者にとって、「自分から離れていってしまったもの」になっています。

　　作者から　2　小説は、読者の元へと、ゆっくり運ばれてゆきます。たとえば大きな客船に乗って、堂々と海の波を割りひらきながら読者の皆さんのところへと運ばれる本もあるでしょう。ひっそりと夜の道を　3　しなやかな動物の背に乗って、選ばれた読者にだけ運ばれる本もあるにちがいない。(略)

　　どんなふうに運ばれた小説も、読者にとっては大切なものです。もしかしたら、作者にとってよりも、読者にとっての方が、より大切なものかもしれない。

　　わたし自身、自分の作ったものはさきほど　4　ようにどんどん忘れていってしまうけれど、大好きで読みついできたよその作者の小説についてならば、どの頁にどんな言葉があって、登場人物の誰がどんな服をどんな場面で着ていて、どんな時に悲しんでどんな時に喜んだかということを、つぶさに　5　のです。

　　小説というものは、書かれることも大事だけれど、読んでもらうことも、きっとものすごく大事なのです。

（川上弘美『はじめての文学　川上弘美』文藝春秋　刊）

1
1 書き上がる　　　　　　　　　　　2 書き上がった
3 書き上がっている　　　　　　　　4 書き上がっていた

2
1 離れる　　　　2 離れた　　　　3 離れている　　　　4 離れていた

3
1 走る　　　　2 走った　　　　3 走りながら　　　　4 走るとき

4
1 書く　　　　2 書いた　　　　3 書いてきた　　　　4 書いていた

5
1 覚える　　　　2 覚えた　　　　3 覚えている　　　　4 覚えていた

3課　条件を表す文

　文章としてのまとまりを持たせるために、ある条件をどう扱うかがポイントになることがあります。あることを仮定するのか、実現した条件（確定）として考えるのか、後に来る文はどうつながるのか、などが文の流れを決める要素になります。

◇◇

A　条件を表す文（「と・ば・たら・なら」「ても」を使う文）の用法–基本的注意

◆文末の制限：話者の希望・意向を表す文や働きかけの文が来るか・来ないかに注意する必要があります。

例　× 夏休みになると、国へ帰りたい。
　　○ 夏休みになると、寮が静かになる。
　　○ 夏休みになったら、国へ帰りたい。

　　× そのDVDを借りれば、後でわたしにも見せてください。
　　○ そのDVDを借りれば、連休中退屈しないだろう。
　　○ そのDVDを借りるなら、後でわたしにも見せてください。
　　○ そのDVDを借りたら、後でわたしにも見せてください。

　　× テレビを見たいのに、今日は我慢しよう。
　　○ テレビを見たいのに、見られない。
　　○ テレビを見たくても、今日は我慢しよう。

◆前の文との関係：まだ実現していないこと（仮定）か・実現したこと（確定）かに注意する必要があります。

a) 実現していないこと

例・将来医者になりたい。　　　医者になるなら、免許を取らなければならない。
　　　　　　　　　　　　　　　医者になれば、多くの命が救えるのではないだろうか。
　　　　　　　　　　　　　　　医者になったら、地元の病院で働きたい。
　　　　　　　　　　　　　　　医者になっても、この地方に住み続けたい。

b) 実現したこと

例・彼は医者になった。　　　　医者になったのなら、地元の病院で働いてほしい。
　　　　　　　　　　　　　　　医者になったら、毎日とても忙しくなったようだ。

医者になっても、趣味の釣りは続けている。

・彼は医者だ。　　　　　医者であれば、忙しい医者の気持ちがわかるはずだ。

B　「と・ば・たら・なら」の形以外の仮定・確定の言い方（文脈から仮定・確定を判断する）

１．～ては

　例・明日の天気は大荒れだそうだ。悪天候の日に海に行っては、危ないだろう。（仮定）
　　・最近残業が多い。こんなに残業が続いては、ゆっくり休む暇もない。（確定）

２．～としたら・～とすれば・～とすると　→第１部15課

　例・来年は海外旅行をしたい。行くとしたら、南アメリカに行きたい。（仮定）
　　・この映像は真実だろうか。真実だとすれば（とすると）、大変なことだ。（仮定）

３．～となったら・～となれば・～となると　→第１部15課

　例・今年も海外旅行は無理だ。行けないとなったら、いっそう行きたくなる。（確定）
　　・やはりこの映像は真実だった。真実だとなれば（となると）、青木氏は責任を取らなければな
　　　らない。（確定）

４．～（よ）うものなら　→第１部15課

　例・わたしはお酒に弱い。一口飲もうものなら体中真っ赤になる。（仮定）

５．～ないことには　→第１部15課

　例・まず本人に会ってみよう。会ってみないことには何とも言えない。（仮定）
　　・今はお金の余裕がない。お金がないことにはこの計画は実行できない。（確定）

６．～を抜きにしては　→第１部15課

　例・田中さんは有能な協力者だ。田中さんを抜きにしては、この仕事は成功しない。（仮定）
　　・国の援助を打ち切られた。国の援助を抜きにしては、研究は進められない。（確定）

７．～としても・～にしても・～にせよ・～にしろ　→第１部15課

　例・この薬を信じている。完全に治るのは無理にしても、今より良くなるだろう。（仮定）
　　・彼が忙しいのはわかる。しかし、いくら忙しいにせよ、出欠の返事を出すくらいできるはずだ。
　　　（確定）
　　・あしたの天気はどうだろうか。雨が降るとしても、大雨ではないだろう。（仮定）

練習1 （　　　）に入る文として、適当なものを選びなさい。

1　a この計画案は承認されるだろうか　　b この計画案は承認された

　①（　　　）。承認されないと、次の計画が立てられない。

　②（　　　）。承認されるとすぐに問い合わせが殺到した。

2　a 課長に事情をよく説明してみるつもりだ　　b 課長に事情を詳しく説明した

　①（　　　）。あれだけ丁寧に説明すればわかってくれるだろう。

　②（　　　）。詳しく説明すればわかってくれるだろう。

3　a 引っ越すかどうか迷っている　　b あした引っ越す　　c 先週引っ越した

　①（　　　）。引っ越したら、友達をうちに呼んで飲み会をしようと思う。

　②（　　　）。引っ越したら、通勤が楽になった。

　③（　　　）。もし会社の近くに引っ越したら、通勤が楽になるだろう。

4　a 今年の新年会ではお酒を飲み過ぎないようにしよう

　　b 今年の新年会ではお酒を飲み過ぎた

　①（　　　）。こんなに飲んでは体に悪いだろう。

　②（　　　）。あまりたくさん飲んでは体に悪いだろう。

練習2　どちらか適当な方を選びなさい。

1　今のような人間不信の社会では、正直であることが大切だ。人々が正直で（①a なかったら
　b ないにせよ）、ますます人を信じることができなくなる。人を信じることは（②a 難しいと
　なれば　　b 難しいにしても）、信じようと（③a 努力しないことには　　b 努力しようも
　のなら）、何事も始まらない。そして、人を信じることが（④a できなければ　　b できなく
　ても）、人と協力し合うことはできない。だからこそ正直でありたい。（⑤a 正直であっても
　b 正直であるにしろ）必ず信じてもらえるとは限らないけれど……。

2　地球温暖化の問題が深刻だ。このように深刻な状態に（①a なるとすると　　b なっては）、
　もう解決方法はないのではないかと思ってしまう。このまま温暖化が（②a 進むとすれば
　b 進むとしても）、それによる被害はさらに広がるだろう。今の日本の状態では、被害がさら
　に（③a 拡大しようものなら　　b 拡大したとなったら）経済的な損害は多大なものになって
　しまう。何か対策を（④a 考えないことには　　b 考えないとなれば）国民の不安は消えない
　だろう。

まとめ　次の文章を読んで、文章全体の内容を考えて、　1　から　5　の中に入る最もよいものを１・２・３・４から一つ選びなさい。

　自分の財布の中のお金は自分のものだ。自分のお金で買った本は自分のものだ。また、自分が今　1　、持ち主として登録した土地は自分のものだ。このように、形があるものはだれが持ち主かわかりやすい。わずか１円でも、他人のものを　2　どろぼうになってしまう。

　しかし、実物を手で触ることが　3　、人の所有物として守らなければならないものがある。文学や音楽などの作品とか、デザインや発明などである。これらのものはつくった人、考え出した人の大切な財産である。実際に値段はついていないので、売ってすぐにお金に換えることは　4　、お金や土地と同じように、「持ち主はわたしです」と主張することができる。

　このような、芸術作品やデザインや発明などの「持ち主」の権利を、「知的所有権」という。知的所有権は「これはわたしが考えてつくったものだから、わたしのものです」と主張する権利である。つまり、他人の知的所有物を使って経済活動を　5　、許可を得なければならないということになる。

1
1　住んでいれば　　　　　　　　　　2　住んでいなければ
3　住んでいても　　　　　　　　　　4　住んでいなくても

2
1　盗んだら　　　　　　　　　　　　2　盗んでも
3　盗まなかったら　　　　　　　　　4　盗んだとしても

3
1　できても　　　　　　　　　　　　2　できなくても
3　できる場合　　　　　　　　　　　4　できない場合

4
1　できるにしても　　　　　　　　　2　できるとなったら
3　できないにしても　　　　　　　　4　できないとしたら

5
1　したら　　　　　　　　　　　　　2　する場合は
3　するとしても　　　　　　　　　　4　しないとしても

文章としてのまとまりを持たせるために、書き手はふつう、いつも同じ視点から物事を述べます。視点を動かさないようにするために、いろいろな手段が使われます。

視点＝物事を見ている位置

日本語では、視点を話者側に置くのが自然です。

◇◇

A　話者を主語にする場合

◆動作主が話者で、物の移動を表す文や、感情・動作が他者に向かうことを表す文では、話者を主語にして述べるのが普通です。

例 ・わたしは高橋さんをしかった・誘った・案内した・尊敬しているなど

・わたしは高橋さんに〜を送った・渡した・投げた・頼んだなど

・わたしはあの人に会ったなど

◆動作主が他者で、物の移動を表す文や、感情・動作が話者に向かうことを表す文では、話者を主語にして受身の形で述べることが多いです。→第3部6課

例 ○ わたしは高橋さんに留守番を頼まれた。

？ 高橋さんはわたしに留守番を頼んだ。

◆二者の立場が対立することを表す動詞を使うとき、その一人が話者なら、話者を主語にして述べるのが普通です。

例 ○ わたしは田中さんから歌を教わった。

？ 田中さんはわたしに歌を教えた。

○ わたしたちのチームは相手チームに勝った。

？ 相手チームはわたしたちのチームに負けた。

○ わたしは前に林さんに借りたお金を返した。

？ わたしは前に林さんが貸したお金を返した。

B 自動詞・他動詞の使い分け

◆視点が動かなくても、注目するものが変われば自動詞・他動詞の使い分けが必要です。

注目点	動詞の種類	例
変化を起こす動作に注目する （だれの動作かを意識する）	他動詞	（わたしが）電気を消す （わたしが）タクシーを止める
物の動き・変化に注目する （だれの動作かを意識しない）	自動詞	電気が消える タクシーが止まる

◆自動詞・他動詞の発展的使い方には次のようなものがあります。

動詞の種類	意味	例
他動詞	失敗・責任	財布を落とした。／かぎをなくした。
	慣用的表現	風邪を引いた。／年をとった。
自動詞	可能	このかばんにはB4サイズの書類が入る。 ドアがなかなか開かない。
	動作の結果	ブラウスの汚れを落とそうとしたが、結局落ちなかった。

◆継起・付帯状態を表す「～て」の前後は、ふつう主語が同じです。自動詞・他動詞のどちらで述べるかに気をつけます。原因・理由を表す場合は、主語が違っていてもかまいません。

例 ○ その子は、ぽかんと<u>口を開けて</u>、先生の話を聞いた。

（その子が口を開けた＋その子が聞いた）

× その子は、ぽかんと<u>口が開いて</u>、先生の話を聞いた。（口が開いた＋その子が聞いた）

○ その子は、ぽかんと口が<u>開いていて</u>、バカみたいに見えた。

（口が開いていた＋その子が見えた）

→原因・理由を表す「～て」

[練習1] どちらか適当な方を選びなさい。

1 この箱は小さいから、これ以上（①a 本を入れない　　b 本が入らない）。残った本は本棚に
（②a 並べたほうがいい　　b 並んだほうがいい）。

2 帰ろうとしたとき（①a 山川さんが小さい箱を渡した　　b 山川さんから小さい箱を渡された）
が、その意味がわたしにはわからなかったので、すぐに（②a 返した　　b 返された）。

3　わたしは産地直送の野菜や果物が好きだ。インターネットで（①a　注文した　　b　注文を受け
　た）ものが、次の日にはうちに（②a　届ける　　b　届く）。うれしい時間だ。毎回すぐに産
　地の人に（③a　電話をかけて　　b　電話がかかって）、「来週もよろしくね。」と言う。こうい
　うつきあいが楽しいのだ。

4　昨日、新しくできた図書館へ行った。本を5冊（①a　借りた　　b　貸した）。「本を
　（②a　お借りになる　　b　お貸しする）方はカウンターへお申し出ください。」と書いてあった。
　「雑誌もいいですか。」と（③a　聞いたら　　b　聞かれたら）、「すみません。雑誌は
　（④a　お借りできない　　b　お貸しできない）んです。」と言われた。

5　昔、（①a　母が教えた　　b　母から教わった）この料理法はとても役に立つ。「おいしく作る
　いい方法があるから（②a　教えるね　　b　教わるね）。覚えておくといいよ。」と言って、作り
　方を書いてくれた。この方法を、わたしはいつか自分の子供にも（③a　教えたい　　b　教わ
　りたい）。

6　夫はテレビのプロ野球番組が好きで、巨人の応援をしている。特に阪神には絶対に（①a　負け
　てほしくない　　b　負けてほしい）ようで、もし（②a　勝ったら　　b　負けたら）機嫌が悪く
　なる。今日は（③a　勝った　　b　負けた）から良かったが、「あした（④a　勝ったら
　b　負けたら）もうテレビは見ない。」などと言っている。

（注）巨人・阪神：プロ野球のチーム名

7　昔、かくれんぼという遊びをよくしたものだ。木の陰や家の後ろなどに（①a　隠れて
　b　隠して）いる子を鬼が（②a　見つかる　　b　見つける）遊びである。わたしは体が大きかっ
　たので、どんなに（③a　隠れた　　b　隠した）つもりでも、すぐに（④a　見つかって
　b　見つけて）しまった。また、宝探しという遊びもよくした。母が（⑤a　隠れた　　b　隠した）
　宝物を一番たくさん（⑥a　見つかった　　b　見つけた）子が勝ち。わたしは母の（⑦a　隠れ方
　b　隠し方）をよく知っていたので、いつも一番だった。

8　先日、何度か川田さんのうちに電話をかけたが、話し中でなかなか（①a　つなげられなかった
　b　つながらなかった）。川田さんのお子さんが（②a　試験を受けた　　b　試験に受かった）と
　聞いたので、一言お祝いを言おうと思ったのだ。後で聞いたら、その日は朝から電話が多く、ずっ
　と（③a　電話を鳴らしていた　　b　電話が鳴っていた）のだそうだ。

まとめ 次の文章を読んで、文章全体の内容を考えて、 1 から 5 の中に入る最もよいものを1・2・3・4から一つ選びなさい。

そんな私も二年間、日記を書いていた。インターネットを使ったメールマガジンというのをやることになり、そこで「今週の私」みたいな一週間分の 1 のだ。今はそのメルマガがなくなってしまったが、日記は個人的につけている。

メールマガジンって、 2 あまり知らなかったんだけど、とてもおもしろいシステム。基本的には「たくさんの人にいっぺんに送る電子メール」と考えてくれればよい。ホームページだったら、利用者が「あのページ見てみようかな」と自分でその気になってURL（ホームページのアドレス）を入力したりして見なければならないけれど、メールマガジンは 3 のを読むだけだから、気軽だよね。

それに、なんだか自分だけに送られてきたような気になってちょっとうれしい。私も、自分でメールマガジンの発行を始めてからほかの人のもいくつか取り始めたんだけど、届くたびに「お、 4 」って感じになる。もちろん、いろいろな人がいろいろな内容や形式のメールマガジンを書いているんだけど、私は日記を中心にしたエッセイを毎週一回、 5 。正直言うと、「何を書こうか？」と毎回、考えることができないので、「よしっ、日記だったら書くことがなくて困るってことはないだろう」と思ったわけなんだけど。

（香山リカ『10代のうちに考えておくこと』岩波ジュニア新書による）

---

1 1 日記が載った

2 日記が載っていた

3 日記が載せてあった

4 日記を載せていた

2 1 自分で始めるまで

2 自分から始まるまで

3 自分で始めたのに

4 自分から始まったのに

3 1 向こうへ送る

2 向こうから送られてくる

3 あちこちで受け取る

4 あちこちで受け取られる

4 1 来る来る

2 来た来た

3 行く行く

4 行った行った

5 1 届くことになっていた

2 届けられることにしてあった

3 送ることにしていた

4 送られることになっていた

視点を動かさない手段-2 「〜てくる・〜ていく」の使い分け

```
〜てくる────→話者がいる実際の位置────→〜ていく
            話者の心理的位置
            話者がいる時点
```

◆「〜てくる・〜ていく」の用法は次のように整理されます。

意味			例
具体的	空間的	①ある動作の後の移動	ちょっとパンを買って**くる**。 花を買って**いこう**。
		②その状態での移動	学校からたくさん本を抱え**てきた**。 駅まで走っ**ていく**。
抽象的	時間的	③継続	今までずっと我慢し**てきた**。 これからもこの仕事を続け**ていく**。
		④変化の進行	病状が良くなっ**てきた**。 次第に上手になっ**ていく**だろう。
	その他	⑤出現	元気が出**てきた**。
		⑥消滅	恨みの感情が消え**ていった**。
		⑦開始	急におなかが痛くなっ**てきた**。

◆文章の中では、書き手はふつう自分を中心にして、自分の位置から物事を述べます。
そして、その位置をずっと変えません。

例・社内の動きをずっと①見てきたが、この1、2年、雰囲気が大きく②変わってきた。社長は何度も海外に③飛んでいき、そのたびに緊張した表情で④帰ってきた。外国の会社とうまく⑤やっていくためには国際性が必要だが、国内の需要に頼って新製品を⑥作ってきたわが社に、その力があるかどうかわからない。

話者のいる時点：現在　①見てきた　②変わってきた　⑤やっていく　⑥作ってきた
話者のいる位置：国内・会社　③飛んでいき　④帰ってきた

◆移動を表す動詞に「〜てくる・〜ていく」をつけないと、動作の方向や話者のいる位置がわかりません。
例 × 珍しい鳥が飛んだ。（鳥がどちらの方向へ移動したかわからない。）

○ 珍しい鳥が飛んできた。（鳥は自分の方へ来た。）

× 学生が教室から出た。（話者は教室の中にいるか、外にいるかわからない。）

○ 学生が教室から出ていった。（話者は教室の中にいる。）

○ 学生が教室から出てきた。（話者は教室の外にいる。）

練習1　どちらか適当な方を選びなさい。

1　幸せは歩いて (a こない　　b いかない)。自分で求めなければならないのだ。

2　山田君から「子供を連れて (a きても　　b いっても) いい？」という電話があった。

3　入院中の夫は会社の同僚が見舞いにお金を持って (a くる　　b いく) のが嫌でたまらないらしい。

4　玄関の外に出て待っていると、子供たちは「お祭り、楽しかったよ。」と言って、帰って
　　(a きた　　b いった)。

5　お客様は「おじゃましました。」と言って、帰って (a きた　　b いった)。

6　父は、「あ、たばこがない。ちょっと買って (①a くる　　b いく)。」と言って、出て
　　(②a きた　　b いった)。

7　駅で偶然会った友人に昼ご飯に誘われたが、食べて (a きた　　b いった) から、と言って、
　　断った。

8　高校を卒業してからずっと父の店を手伝って (a きた　　b いった) が、そろそろ独立しよう
　　と思っている。

9　次のオリンピックを目指して頑張って (a こよう　　b いこう) と思っています。

10　退院後、だんだん体力がついて (①a きました　　b いきました) ので、来週からは出社しよ
　　うと思っています。これからは無理しないでやって (②a きます　　b いきます) から、大丈
　　夫です。

練習2　適当なものを選びなさい。

1　わたしは教室の外の廊下でリンさんと立ち話をした。その後彼女は教室に (　　　　)。
　　a 入っていた　　　　　b 入ってきた　　　　　c 入っていった

2　今度 (　　　　) 隣の部屋の人はすごいボリュームで音楽を聞く。うるさくて困っている。
　　a 引っ越した　　　　　b 引っ越してきた　　　　　c 引っ越していった

3 リンさんはときどき真夜中に電話を（　　　　）。そんな時は、次の日眠くてたまらない。

  a かける　　　　　　　　b かけてくる　　　　　　c かけていく

4 20年ぶりにふるさとの海へ行ってみた。懐かしかった。子供のころよく（　　　　）。

  a 泳いだものだ　　　　b 泳いできたものだ　　　c 泳いでいったものだ

5 駅のホームで男がわたしに（　　　　）。すぐに逃げられなかった。

  a つかみかかっていた　　b つかみかかってきた　　c つかみかかっていった

練習3　「くる・いく」を適当な形にして、＿＿＿＿の上に書きなさい。また、この話をしたときの
　　　　話者の位置がどこか、a、bから選びなさい。

1 入場券を買った後、このロッカーに荷物を入れて＿＿＿＿＿＿ほうがいいですよ。その大きな荷
物を持って館内を見学するのは大変ですよ。

（話者の位置：a 館外　　b 館内）

2 あ、太郎、わたしのサンダルがそっちへ流れて＿＿＿＿＿＿しまったから、拾って！

（話者の位置：a 川の上の方　　b 川の下の方）

3 ベンチに座ってぼんやり辺りを見ていたら、子供を数人連れた女性が近づいて①＿＿＿＿＿、ベ
ンチのそばで子供の数を確認し、植物園に入って②＿＿＿＿＿。

（話者の位置：a 植物園の中のベンチ　　b 植物園の外のベンチ）

4 通勤時のバスは込んでいる。四つ目のバス停で3人降りて①＿＿＿＿＿が、8人乗って
②＿＿＿＿＿。次のバス停でも同じだった。

（話者の位置：a バス停　　b バスの中）

5 夫は今、上海で仕事をしています。先日、上海で知り合った人を連れて①＿＿＿＿＿が、その
人の日本語がとても上手だったのでびっくりしました。四日後、夫はまた上海に戻るとき、日
本語のテキストをたくさん持って②＿＿＿＿＿。上海で使うのだそうです。昨日電話がかかっ
て③＿＿＿＿＿。来週日本から大勢お客さんが訪ねて④＿＿＿＿＿ので、忙しくなるようです。

（話者の位置：a 日本　　b 上海）

まとめ 次の文章を読んで、文章全体の内容を考えて、□1□から□5□の中に入る最もよいものを、1・2・3・4から一つ選びなさい。

われわれは「絶対ダメ」と決めつけることによって多くの可能性を奪っていないだろうか。希望することによってこそ可能性も生まれてくるのだ。遠くのことを眺めているうちに、案外希望が □1□ ことがある。あるいは不必要ないがみ合い（注1）が消えてゆくときもある。あるいは、思いがけない解決のヒントが見えることもある。

「遠くを眺める」ことの一つとして、十年先を □2□ どうだろうか。現代では十年先のことを予見することはなかなか困難である。しかし、そんなに難しい予見などと言わなくとも、ただ「十年後はどうかな」と思ってみるだけでも、われわれの生き方は少し □3□ のではなかろうか。今、カンカンになってけんかをしている相手が、十年どころか四年後には定年でやめ、再就職で □4□ だろうなと思うだけで、けんかの仕方も少しは変わることだろう。

人間は苦しい状況に追い込まれると、もう耐え切れない（注2）と思い、ひどく悲観的になってしまったり、焦ってきて、しなくともいいことをしでかしたりするものだが、そんなときに、十年後はどうなっているだろう、こんな馬鹿げたことが十年も、というよりは、五年も □5□ はずはないだろう、などと思ってくると、少しゆとりが出てきて、判断も確かになってくる。

(河合隼雄『過保護なくして親離れはない』)

(注1) いがみ合い：争い合い

(注2) 耐え切れない：我慢できない

□1□

1 わいてくる　　　　2 わいていく　　　　3 わいてきた　　　　4 わいていった

□2□

1 眺めてくると　　　2 眺めていくと　　　3 眺めてみると　　　4 眺めないと

□3□

1 違ってくる　　　　2 違ってしまう　　　3 違ってきた　　　　4 違ってしまった

□4□

1 苦労してくる　　　2 苦労している　　　3 苦労してきた　　　4 苦労していた

□5□

1 続いてくる　　　　2 続いてきた　　　　3 続く　　　　　　　4 続いた

A　受身文を使う場合

1．話者が、第三者の行為または出来事の影響を直接的・間接的に受けたことを表すとき
　　（主語はふつう話者、または、動作主よりも心理的に話者に近い人）　→第3部4課

　　例・わたしは山中さんにドライブに誘われた。

　　　　　　　　　　　　　　　　　　（主語＝わたし　　動作主（誘った人）＝山中さん）

　　・母は電車の中でだれかに足を踏まれてけがをした。

　　　　　　　　　　　　　　　　　　　（主語＝母　　動作主（踏んだ人）＝だれか）

2．主題についての情報が大切なため、動作の主体をはっきり言う必要がないとき

　　例・事故でけがをした人たちはすぐに病院に運ばれた。（運んだ人＝？）

　　・いじめられた子は転校してしまった。（いじめた人＝？）

　　・この寺は15世紀に建てられた。（建てた人＝？）

　　　　＊主題とともに動作主も大切な情報のときは「〜によって」を使って表します。

　　・キリスト教はフランシスコ・ザビエルによって日本に伝えられた。

3．自然にそのような気持ちになると言いたいとき：自発を表す文
　　（心の動きを表す動詞を使う。）

　　例・この写真を見ると、昔のことが思い出される。
　　・就職難はさらに続くと思われる。
　　・この音楽には何ともいえない優しさが感じられる。

B　使役文を使う場合

1．ほかの人に、ある動作をするように強制するとき
　　（主語はふつう動作主よりも立場が上の人）

　　例・わたしは弟に荷物を持たせた。（強制した人＝わたし　　持った人＝弟）

　　・監督は選手たちを毎日30分走らせた。（強制した人＝監督　　走った人＝選手たち）

2．ほかの人の行為を許すとき

　　例・先生は学生たちに自由に意見を言わせた。（許した人＝先生　　言った人＝学生）

　　・両親は妹に好きな道を選ばせた。（許した人＝両親　　選んだ人＝妹）

3．あることが原因で、必然的にそのような感情が起こる・行為をすると言うとき

例 ・電車が遅れて友達を30分も待たせてしまった。（待った人＝友達）

　　・公園の美しい花が行楽客を楽しませている。（楽しんでいる人＝行楽客）

C　使役受身文を使う場合

1．自分の意志ではなく、ほかの人に強制されてそうすると言うとき

　　（迷惑だという気持ちがある。）

例 ・子供のとき、母によく手伝いをさせられた。（手伝いをした人＝わたし）

　　・入社当時は社内の規則をいろいろ覚えさせられた。（覚えた人＝わたし）

2．あることが原因で、必然的にそのような感情が起こる・行為をすると言うとき

　　（主語は話者。いい感情を表す場合はあまり使わない。）

例 ・彼の自分勝手な行動にがっかりさせられた。（がっかりした人＝わたし）

　　・一生懸命仕事をしている人を見て、大いに反省させられた。（反省した人＝わたし）

練習1　どちらか適当な方を選びなさい。

1　このところうまくいかないことが多くて疲れていた。でも、(a 友人の言葉が元気づけた

　　b 友人の言葉に元気づけられた)。

2　犬は人間とは違う。人間と同じ物を (a 食べられない　　b 食べさせない) ほうがいい。

3　すみません。よくわからなかったんですけど、もう一度 (a 説明してくださいませんか

　　b 説明させてくださいませんか)。

4　母は病院で3時間も (a 待たれた　　b 待たされた) らしい。疲れて帰ってきた。

5　君には期待しているのだ。(a 失望されないで　　b 失望させないで) ほしい。

6　子供にパンを買いに (a 行かせたら　　b 行かされたら)、お金を落としてしまった。子供は

　　泣きながら帰ってきた。

7　最近の子供の事情について説明を受けた。改めて (a 教育の大切さが考えられた　　b 教育

　　の大切さを考えさせられた)。

8　うちの子は朝、（①a 起こされなくても　　b 起こさせなくても) 自分で起きて、学校に行く準

　　備を (②a します　　b させます)。親を (③a 心配する　　b 心配させる) ようなこともしま

　　せん。

練習2 （　　　）の中の動詞を文章の流れに合う形にして、書き入れなさい。

1　わたしは人には強い人間と（①思う→　　　　　　　　）いるらしいが、実は非常に気が弱い。これは自分が一番よく（②知る→　　　　　　　　）いることだ。仕事の関係で、周りの人に頼りない男という印象を（③持つ→　　　　　　　　）まいとして、表面的に強がっているだけのことだ。

2　子供には小さいころからいろいろな経験を（①する→　　　　　　　　）ほうがいいと思って、できる範囲で家事も（②手伝う→　　　　　　　　）います。時には、子供たちに不平を（③言う→　　　　　　　　）こともありますが、子供たちにしても家の中のことをいろいろ（④する→　　　　　　　　）のは楽しいと思っているようです。

3　ごみの出し方が（①守る→　　　　　　　　）いない。燃えるごみと燃えないごみを別々に（②出す→　　　　　　　　）ことはもう常識である。今は、ペットボトル、かん、びん、容器包装プラスチックが資源として（③集める→　　　　　　　　）いる。この容器包装プラスチックというのは、商品の中身を（④使う→　　　　　　　　）後で不要になったプラスチックのことだが、汚れたままのものが（⑤出す→　　　　　　　　）ことがあるので、清掃局では困っているようだ。

4　車の運転免許を取るのは大変だった。怖い教官に何回もアクセルやブレーキの練習を（①する→　　　　　　　　）。わたしは特別に下手だったので（②しかる→　　　　　　　　）ばかりいた。教官の教え方も悪いのだ。腹が立ったので「③（しかる→　　　　　　　　）ばかりいないで、わかりやすく教えてくださいよ。」と文句を（④言う→　　　　　　　　）。この言葉が教官を（⑤怒る→　　　　　　　　）らしく、以後、彼は、わたしの指導はしなくなった。

5　日本は四方を海に（①囲む→　　　　　　　　）いる。当然、漁業によって暮らしを（②立てる→　　　　　　　　）いる人が多い。漁業を（③営む→　　　　　　　　）いる人たちの間で（④知る→　　　　　　　　）いるのが「魚付林」という言葉だ。海と林とは関係がなさそうに（⑤思う→　　　　　　　　）が、実は大いにあるのだ。森林に（⑥降る→　　　　　　　　）雨は、大地にしみ込み、そして、海に流れこむ。この水にはミネラルが多く（⑦含む→　　　　　　　　）ので、海草や魚に豊富な栄養を（⑧与える→　　　　　　　　）のである。

まとめ 次の文章を読んで、文章全体の内容を考えて、 1 から 5 の中に入る最もよいものを１・２・３・４から一つ選びなさい

　自分の考えに自信をもち、これでよいのだと自分に言いきかせるだけでは充分ではない。ほかの人の考えにも、肯定的な姿勢を　1　しなくてはならない。どんなものでもその気になって探せば、かならずいいところがある。それを称揚する(注1)。

　よくわからないときにも、ぶっつけに、

「さっぱりわかりませんね」

などと水をかけるのは禁物である。

「ずいぶん難しそうですが、でも、何だかおもしろそうではありませんか」

とやれば、同じことでも、　2　はまったく違ってくる。すぐれた教育者、指導者はどこかよいところを見つけて、そこへ道をつけておく。　3　では、多少、けなされていても(注2)、　4　をよりどころにして希望をつなぎとめることができる。

　全面的に否定してしまえば、やられた方ではもう立ち上がる元気もなくなる。　5-a　でダメだと言うのでさえひどい打撃である。ましてや　5-b　からダメだときめつけられたら、目の前が真っ暗になってしまう。

（外山滋比古『思考の整理学』ちくま文庫による）

（注1）称揚する：ほめる

（注2）けなす：悪く言う

1

1　とるように　　　　2　とられるように　　　　3　とらせるように　　　　4　とらされるように

2

1　与えさせる感じ　　2　与えさせられる感じ　　3　受ける感じ　　　　　　4　受けさせる感じ

3

1　批評した側　　　　2　批評された側　　　　　3　批評させた側　　　　　4　批評させられた側

4

1　ほめたところ　　　2　ほめられたところ　　　3　けなしたところ　　　　4　けなされたところ

5

1　a　みんな ／ b　自分　　　　　　　　　　2　a　他人 ／ b　みんな

3　a　他人 ／ b　自分　　　　　　　　　　　4　a　自分 ／ b　他人

A 視点の置き方

◆比較して考えたときに、心理的に話者に近い方に視点を置きます。

わたし＞いとこのみっちゃん＞（わたしが住んでいる市の）市長＞アメリカの大統領

例 ○ いとこのみっちゃんは市長にいい仕事を紹介してもらった。

（「みっちゃん」のほうが「市長」より心理的に書き手に近い。）

× 市長はいとこのみっちゃんにいい仕事を紹介してあげた。

○ 市長はアメリカの大統領にいい会場を用意してもらったそうだ。

（「市長」のほうが「アメリカの大統領」より心理的に書き手に近い。）

× アメリカの大統領は市長にいい会場を用意してあげたそうだ。

B 「～てもらう・～てくれる」を使うときの注意

◆「～てもらう・～てくれる」と「～られる（受身）」は主に「快・不快」で使い分けます。

形式	快・不快	例
～てもらう ～てくれる	快	きれいな服を着た日に、姉に写真を**撮ってもらった**。 毎朝、7時に電話で**起こしてもらっている**。 今日のコンサートでは懐かしい曲をたくさん**聞かせてもらった**。 お掃除ロボットは自動で部屋を**掃除してくれる**機械である。
～られる （受身）	不快	変な顔をしていたら、姉に写真を**撮られた**。 毎晩、赤ん坊の泣き声に**起こされて**、寝不足になる。 隣が音楽教室なので、下手なバイオリンを毎日**聞かされる**。 机の上を他人に勝手に**掃除されたら**気分が悪いだろう。

＊受身文には中立的な意味のものもあります。

「名前を呼ばれたら、返事をしてください」→第3部6課

◆「～てもらう・～てくれる」がないと、動作の相手がわからないことがあります。

例 ？ 田中さんが教えた歌は、アメリカの民謡だそうです。（だれに教えたかわからない。）

○ 田中さんに教えてもらった歌は、アメリカの民謡だそうです。（わたし（たち）に教えた。）

○ 田中さんが教えてくれた歌は、アメリカの民謡だそうです。（わたし（たち）に教えた。）

？ 花子が書いた手紙を何度も読み返しています。（だれに書いたかわからない。）

○ 花子が書いてくれた手紙を何度も読み返しています。（わたしのために書いた。）

◆「〜てもらう」と「〜てくれる」は主語が違います。文章中に主語がはっきり表れない場合があるので注意が必要です。

例 ・事務室に行けば、申請書の書き方を<u>教えてくれ</u>ますよ。<u>教えてもらって</u>から書いたほうがいいですよ。　（<u>事務室の人</u>が教えてくれる。　<u>わたしたち</u>が教えてもらう。）

練習1　適当なものを選びなさい。

1　兄は婚約者のゆき子さんが (a くれた　　b あげた　　c もらった) ネクタイをなくして　大騒ぎしている。

2　田中部長はわたしの母にまで海外旅行のお土産を買ってきて (a くれた　　b あげた
　　c もらった)。

3　君が説明書を (a 送った　　b 送ってくれた　　c 送ってあげた) ので助かりました。

4　昨日渡辺君が (a 見せた　　b 見せてくれた　　c 見せてもらった) 書類に何が書いてあったか忘れてしまった。

5　山本さんがうちの祖母を花見に招待して (a くれた　　b あげた　　c もらった)。

6　道に迷ってしまった。通りかかったおばあさんに道を聞いたら、親切に教えて (a くれた
　　b あげた　　c もらった)。

7　今日は美容院で、あまり好きではない形に髪を (① a 切ってくれた　　b 切ってもらった
　　c 切られてしまった)。来月はカット代を節約するために、姉に髪を (② a 切ってもらう
　　b 切ってあげる　　c 切られる) ことにしよう。

8　駅前のスーパーでは、買ったものをまとめて自宅に (① a 届ける　　b 届けてあげる
　　c 届けてもらう) というサービスを始めた。わたしは週に1度、仕事の帰りにまとめ買いをして、(② a 届けて　　b 届けてあげて　　c 届けてもらって) いる。

適当なものを選びなさい。

1 この市には外国人相談室というのがある。何か問題があるとき、いろいろ相談に応じて
（①a あげる　　b もらう　　c くれる）。先日、この相談室に行ってアパートの探し方を教
えて（②a あげた　　b もらった　　c くれた）。中国語と英語と韓国語のコーナーがあって、
話をちゃんと理解して（③a あげる　　b もらう　　c くれる）から心強い。友人にもこの
相談室のことを教えて（④a あげよう　　b もらおう　　c くれよう）と思う。

2 同じクラスの山口さんは、校長先生に推薦書を書いて（①a あげて　　b もらって　　c くれて）、
日本の高校生の代表として世界青少年平和会議に参加することになった。あの厳しい校長先生
がよく推薦書を書いて（②a あげた　　b もらった　　c くれた）ものだと感心するが、山
口さんにはそれだけのパワーがある。そのパワーを周りの人たちにも分けて（③a あげて
b もらって　　c くれて）ほしい。

3 だれかに自分の気持ちを聞いて（①a あげる　　b もらう　　c くれる）ことは、精神安定剤
のような効果がある。何の批判もされず、ただ聞いて（②a あげる　　b もらう　　c くれる）
だけで人は心が安定してくるものだ。相手がときどき軽くあいづちを打って（③a あげれば
b もらえば　　c くれれば）、さらに話しやすい。そういう思いがあって、わたしはほかの人
の話を一生懸命聞いて（④a あげる　　b もらう　　c くれる）ように心がけている。

4 年をとった母のために役所へ行って老人ホームへの入所を相談したら、係の人が丁寧に説明し
て（①a あげた　　b もらった　　c くれた）。「市内に何か所か施設がありますから、お母
さんを案内して（②a あげて　　b もらって　　c くれて）ください。お母さん自身が一番
いいと思う所を探して（③a あげる　　b もらう　　c くれる）のがいいですよ。」と言われ
た。そうだ。最終的には母に決めて（④a あげる　　b もらう　　c くれる）のがいいのだ。

5 近くの公園内のベンチが壊れているので早く直して（①a あげたい　　b もらいたい
c くれたい）と思って、役所に電話で（②a 連絡した　　b 連絡してあげた　　c 連絡して
もらった）。係の人は一応話を聞いて（③a あげたが　　b もらったが　　c くれたが）、何
日待っても直しに来て（④a あげない　　b くれない　　c もらわない）。住民の要求にもっ
と早く（⑤a 応じてほしい　　b 応じてあげてほしい　　c 応じてくれてほしい）。

まとめ 次の文章を読んで、文章全体の内容を考えて、 1 から 5 の中に入る最もよいものを1・2・3・4から1つ選びなさい。

　このあいだ、大きな葬儀社(注)の社長さんと話す機会があった。とてもやさしくあたたかみのあるその社長さんは、おもしろい話を 1 。「最近、うちの会社に就職したいという若者が増えているんですよ。就職難ということもあるでしょうけれど、どうもそれだけではないようです。別の企業に合格したのに、どうしても葬儀社に、と希望して来る人もいるのです」

　「若者たちは、これまで地味な仕事と 2 葬儀社に、どうして就職したがるのだろう？」私がそう質問すると、社長さんは 3 。「それは、私たちの仕事が人を助け、感謝される仕事だからです。今の世の中、直接お客さんから"ありがとう、おかげで助かりました"と 4 仕事は、なかなかないでしょう？」

　たしかにそうだ。ふつうの会社や役所につとめても、自分のした仕事が直接、だれかを救うという機会はまずない。私も大学で授業していて、学生に「先生、いいこと教えてくれてありがとう」なんて 5 ことはない。病院では「ありがとう」と言われる場面もあるけれど、「ぜんぜんよくなりません」と苦情を言われることもけっこうある。

（香山リカ『10代のうちに考えておくこと』岩波ジュニア新書による）

(注) 葬儀社：葬式の手伝いをする会社

1
1　聞いてくれた　　　2　聞いてもらった　　　3　聞かせてくれた　　　4　聞かせてもらった

2
1　思わされた　　　　　　　　　　　2　思われてきた
3　思ってもらっていた　　　　　　　4　思ってもらってきた

3
1　答えてくれた　　　　　　　　　　2　答えさせてくれた
3　答えてあげた　　　　　　　　　　4　答えさせてあげた

4
1　言ってくれる　　　　　　　　　　2　言ってもらえる
3　言わせてくれる　　　　　　　　　4　言わせてもらえる

5
1　言われた　　　　2　言わせた　　　　3　言ってあげた　　　　4　言ってくれた

8課 指示表現「こ・そ・あ」の使い分け

　文章にまとまりを持たせるために、指示表現は大切な役割を持っています。文章中の指示表現には「そ」または「こ」のつくものを使い、ふつう「あ」のつくものは使いません。

❖❖

A　文章中の「こ・そ・あ」の基本
◆文章の中の指示語はふつう、前に出てきた言葉や文を指します。

◆文章では「そ」を使うのが基本です。

◆話題や指すものが、話者と心理的に近いことを示したいときは、「こ」を使うことが多いです。

　例・人の話に耳を傾けて熱心に聞く。このことの大切さをわたしはこのごろ実感している。
　　・昨日、佐藤さんが訪ねてきた。この人には10年以上もの間会っていなかったが、決して忘れてはいけない人である。佐藤さんは……

B　「こ」しか使えない場合
１．話者が紹介した言葉やデータを指すとき
　例・「それでも地球は動いている」。これは地動説を唱えたガリレオ・ガリレイの有名な言葉である。
　　・現在、日本の小麦の自給率は約12%である。この数字はさらに低くなると思われる。

２．指すものの原因・理由を詳しく言うとき
　例・野菜の値段が通常より上がっているそうである。これは4月になっても寒い日が続いたためである。
　　・ダイエットに成功してこのごろ体調がいいです。これは妻が厳しく健康管理をしてくれたおかげです。

C　「そ」しか使えない場合
１．仮定文（もし〜たら・たとえ〜ても）の中のものを指すとき
　例・もし住民が反対してこの計画が実行できなくなったら、その責任はだれがとるのか。
　　・たとえ遠くへ引っ越しても、そこでもきっとたくさんの友達ができるだろう。

２．話者が指示・依頼・勧誘した内容に関係のあるものを指すとき

例・当日の会費は受付の人に払ってください。その人が会場に案内してくれるはずです。

・集合場所に着いたらまずカードを受け取ること。それに自分の名前を書いて胸につけてください。

３．すぐ前にある言葉を指すとき（「その」を使います。）

例・この箱の中に製品とその使用説明書が入っています。

・まず円をかき、その中に好きな言葉を三つ書きます。

４．他者の意見や、前の文で書いたことを否定するとき

例・景気はだんだん回復していくと言う人もいるが、わたしはそうは思わない。

・彼には本当に指導力がないのか。そんなことはないとわたしは思う。

D　「あ」を使う場合

１．筆者が個人的な文章の中で、回想して述べるとき

例・沢田氏と別れてもう20年になる。あの人は今どうしているのだろうか。

・青森から引っ越してきたのが３年前の３月。あれから青森には一度も行っていない。

問題1　どちらか適当な方を選びなさい。（両方良いものもあります。）

1　「国境の長いトンネルを抜けると雪国であった」―（a　これ　　b　それ）は『雪国』という小説の有名な一節である。

2　ある雑誌にわたしはK. N. の名を見つけた。（a　この　　b　その）人とわたしにはある秘密のつながりがあった。

3　現在日本でウェブニュースを読む人の割合は20代が最も高く、72.8％、読まない人は26.9％、同じ年代で新聞を読む人は52.7％、読まない人は46.7％となっている〈平成21年文化庁調査〉。

　　（a　この　　b　その）数字からどんなことが言えるだろうか。

4　町の本屋の閉店が相次いでいる。（a　これ　　b　それ）は主に、インターネットによる直接購入や大型書店の出現で、利用率が下がったためと考えられる。

5　まっすぐ行くと入り口があります。（a　ここ　　b　そこ）に立っている人が入館許可証を渡してくれるはずです。

6 この原稿をチェックして問題点を見つけ出してください。(a この　　b その)箇所は後でわたしが再チェックします。

7 もし別の人がこの会を運営することになったら、(a この　　b その)人にしっかり会の内容を説明したい。

8 このイベントに参加していただけるのは、小学生と (a この　　b その)保護者です。

9 アンケート結果については図Aを見ていただきたい。(①a この　　b その)グラフからわかるように、買い物袋を必ず持参する人はまだ多いとは言えない。(②a これ　　b それ)は「持ち歩くのが面倒」、「なんとなく格好が悪い」というのが主な理由のようである。

10 大学の前にある喫茶店でよくコーヒーを飲んだものだ。(①a その　　b あの)喫茶店はまだ(②a その　　b あの)場所にあるだろうか。

問題2 適当なものを選びなさい。

　新聞を読んでいて、これはと思う記事にぶつかる。あとで切り抜いておこう、と思いながら、ほかのところへ目を移す。ところが、この「あとで」がくせものである。しばしば、その「あとで」はとうとう、やってこない。

　忘れてしまう、というのではない。覚えてはいる。ただ、とりまぎれて、二日も三日も経ってしまうことがすくなくない。そこで思い出して、そうそう、(①a これ　　b それ　　c あれ)を切り抜かなくてはと、新聞をとり出して、たぶん、(②a ここ　　b そこ　　c あそこ)ではなかったか、と思うところを見ると、ない。おかしい、とすこしあわてる。こうなると、もう見つからない。さては、夕刊だったか。(③a こんな　　b そんな　　c あんな)ことはない。たしかに朝刊で、(④a この　　b その　　c あの)ページだったと目を皿のようにするが、見つからない。いらいらする。そうなると、ますます大事なことが書いてあったように思われてくる。

　どうも、興味をもって読んだものは、頭の中へ入ると、勝手に変化するらしい。たしか、(⑤a こんな　　b そんな　　c どんな)見出しの感じだったと思ってさがすのに、見当たらない。やっとさがし当ててみると、頭に描いていたのとは、違っているではないか。

　それでも出てくればいい方である。三、四日前に(⑥a こんな　　b そんな　　c どんな)記事があった、というのでさがすときなど、まず、見つからない方が多い。購読紙が一紙だけならいいが、三紙も四紙もあると、そもそも(⑦a この　　b その　　c どの)新聞だったかすら、あやしくなってしまう。新聞の山の中から、目ざす記事を見つけ出すのは、よほどの平常心が必要で、あせったり、急いだりしていては、決して見つけられない。

(外山滋比古『思考の整理学』ちくま文庫による)

まとめ 次の文章を読んで、文章全体の内容を考えて、 1 から 5 の中に入る最もよいものを1・2・3・4から一つ選びなさい。

　雨を見ていて面白い経験をしたことがある。絵の中で雨を線で描くのは日本人だけらしい。ゴッホ(注1)が模写した有名な広重(注2)の 1 、雨を線であらわすというのはヨーロッパ人には新鮮だったらしい。 2 もちろん大人になってから知ったことだ。認知学の方でも、雨を線として見るのは日本人独特の認識なのだと言っている。 3 おもしろいことだ。欧米人には雑音としてしか聴こえない虫の音が、日本ではすごく美しい音色に聞こえたりする感覚と、どこかで通じているのではないかと思う。

　ぼくも、雨というのはそもそも細い水の線になって落ちているものだと思っていた。 4 はどこまで繋がっているのだろうかと不思議だった。ところが、あるとき先生に「雨は本当は線ではない。水の粒が落ちてきているんだ」と教わった。でもなんとなくそれは納得がいかなかった。雨を見ていると、どうみても線に見える。線に見えるのに粒だとは、どうも納得がいかなかった。

　その後学校で、万有引力のことを知った。理科で習ったのか、図書館で読んだのか、友だちと 5 しゃべったりして覚えたのかもしれない。綿と釘を同時に落とした場合、空気の抵抗がなかったら綿も釘も一緒に落ちると聞いて、これもなかなか納得がいかなかった。

（赤瀬川原平『目玉の学校』ちくまプリマー新書による）

（注1）ゴッホ：オランダの画家（1853～1890）
（注2）広重：日本の浮世絵師（1797～1858）

---

1 1　雨の絵もそうなのだが　　　　　　　2　雨の絵もああなのだが
　3　雨の絵はそれほどでもないが　　　　4　雨の絵はあれほどではないが

2 1　これは　　　　　　　　　　　　　　2　それは
　3　こんなふうに　　　　　　　　　　　4　そんなふうに

3 1　これは　　　　　　2　それは　　　　3　あれは　　　　　　4　どれも

4 1　どんな水の線　　　　　　　　　　　2　そんな水の線
　3　あの水の線　　　　　　　　　　　　4　その水の線

5 1　このように　　　　　　　　　　　　2　そのように
　3　こんなことを　　　　　　　　　　　4　そんなことを

9課 「は・が」の使い分け

　「は」と「が」は基本的な機能が違い、文章の中でそれぞれの役割があります。文章にまとまりを持たせるために、「は」と「が」を使い分けることが必要です。

◆「は」と「が」の基本的機能

　例　今日の夕食はユリが作る。

　　「は」　主題（何について話すか）を示す。「今日の夕食は」

　　「が」　主格（動作・事態の主体）を示す。「ユリが」

◇◇

A　文章の中での「は」と「が」の基本的用法

「が」初めて話題に出たもの、または、読み手には特定できないと考えられるもの

「は」すでに話題に出たもの、または、読み手に特定できると考えられるもの

　例・昔むかし、あるところに ①おじいさんとおばあさんが住んでいました。ある日、②おじいさんは山へ木を切りに行きました。③おばあさんは川に行って洗濯をしました。その時、川上から大きな ④桃が流れてきました。⑤桃は今まで見たこともないほどの大きさでした。

　　　初めて話題に出たもの：①おじいさんとおばあさんが　　④桃が

　　　すでに話題に出たもの：②おじいさんは　　③おばあさんは　　⑤桃は

B　初めて話題に出たものであっても「は」を使う場合

１．二つのことを対比させるとき

　例・わたしは日本に来た当時は日本語がわからなかった。今はもう困ることはない。

　　・この学校は環境はいい。しかし、交通は不便だ。

２．特に取り立てて話題にするとき

　例・わたしはモーツァルトの音楽はすでに飽きるほど聞いた。しかし、聞くたびに新しい発見がある。

　　・昔のようなのどかな光景はもう絶対に見るチャンスはないだろう。そう思うと残念でたまらない。

C すでに話題に出たものであっても「が」を使う場合
1. 前の文章の流れが大きく変わるとき

例・わたしたち夫婦は体のことで心配したことはなかった。わたしも妻も食事に気をつけ、定期的に健康診断もしていた。毎日の運動も欠かさなかった。ところがある日、妻が「体の調子が悪い」と言い出した。

・この検定試験は長い間同じ形式が守られ、毎回大体同じような内容の出題がされていた。その試験が来年から大きく変わるという。

2. 「は」で取り上げた話題について、特徴的なことがらや性質を述べるとき：「～は～が」文

例・先日ふるさとの山形県に帰った。毎日さくらんぼを食べた。確かに山形県はさくらんぼが豊富だが、毎日食べると飽きてしまう。

・ふるさとの駅に着いて空を見上げた。ふるさとは空が特別にきれいだ。

3. 出来事の報告をするとき・ニュース性がある話題を取り上げるとき

例・今朝、中央線で電車の事故があった。そのため、電車が20分遅れた。
・駅前のビルが完成した。明日完成祝いが開かれるそうだ。

練習1 「は」か「が」を_____の上に書きなさい。

1 わたしは田中博士の部屋を訪ねた。目が大きく髪の長い、美しい女性_____博士だった。

2 わたしは田中博士の部屋を訪ねた。博士_____目が大きく髪の長い、美しい女性だった。

3 日本の各地に「富士」_____①ついた地名_____②ある。それほど富士山_____③人々に親しまれ、大切にされているのだ。

4 今年の夏の平均気温_____①記録的だった。気温_____②35度以上の猛暑日_____③続いて、死者_____④出るほどだった。

5 たばこ_____①値上がりして、喜ぶ人_____②だれか。自分も含め、家族_____③たばこを吸わない人_____④一番喜ぶのではないか。

6 近所の公園に高齢者のためのスポーツ広場_____①できた。毎朝、数人_____②集まってきて、体を動かしている。

7 母の友人に山川さくらさんという人_____①いる。さくらさん_____②80歳を過ぎてもおしゃれをして、よく出歩き、よくおしゃべりをしていた。そのさくらさん_____③最近全く元気がなくなったというのである。

練習2　「は」か「が」を＿＿＿の上に書きなさい。

1　ミルクを買って家に帰ると、拾ってきた子猫がいない。あれほど見ていてと頼んだのに……。のんびり漫画を読んでいる兄に怒って聞いた。

　　　「ねえ、どこなの？」

　　　「あ、お母さん①＿＿＿＿買い物。」

　　　「そうじゃなくて、猫よ、猫！」

　　　「ああ、さっき、お父さん②＿＿＿＿外に……。体③＿＿＿＿汚れているからだめって……。」

わたし④＿＿＿＿最後まで聞かずに家を飛び出した。

2　音楽①＿＿＿＿人の心を優しくする。音楽の中では、クラシックのピアノ曲②＿＿＿＿特にいいが、ピアノ曲③＿＿＿＿クラシックでなくても、最近の若い作曲家のものも気に入っている。そして、わたしは音楽④＿＿＿＿好きな人⑤＿＿＿＿好きだ。音楽⑥＿＿＿＿好きな人⑦＿＿＿＿、きっと音楽と同じようにわたしの心を優しくしてくれるだろうと思う。

3　君は広島に行ったことがありますか。広島の原爆ドーム①＿＿＿＿世界遺産にも指定されています。日本には世界遺産②＿＿＿＿10数か所あり、いろいろな国の人③＿＿＿＿訪れますが、近代の戦争のきずあとを世界遺産にしているの④＿＿＿＿ここだけなので、ぜひ一度見に行ってみるといいでしょう。

4　いつだったかわたし①＿＿＿＿連絡せずに遅く帰ったので、父にしかられた。父②＿＿＿＿とても心配したらしい。もともとうちの父③＿＿＿＿母より心配性で、何かと心配すること④＿＿＿＿多い。その父⑤＿＿＿＿、ある日から突然、性格⑥＿＿＿＿変わったように何も心配しなくなった。これにはわたしより母の方⑦＿＿＿＿驚いたようだ。

5　「力がある人①＿＿＿＿何でも一人で決めるのではだめだ。多数決で決めよう。」と、「多数決」という方法がよく使われる。多数決②＿＿＿＿民主主義的手段としてわたしたちの日常の中に入り込んでいる。みんなに同じ権利③＿＿＿＿あって、一番多く賛成を得られた意見④＿＿＿＿尊重される。多数決⑤＿＿＿＿確かに民主主義的な方法ではあるだろう。しかし、ときどき問題になること⑥＿＿＿＿ある。少数の意見⑦＿＿＿＿どうなるか。この点も考えられなければならない。徹底的に話し合いを行い、少数の意見⑧＿＿＿＿考慮されてこそ、多数決が民主的手段になるのだと思う。

まとめ 次の文章を読んで、文章全体の内容を考えて、 1 から 5 の中に入る最もよいものを１・２・３・４から一つ選びなさい。

　どんな大木も、そのほとんどの部分は死んでいます。 1 、樹皮(注1)の下のわずかな部分だけ。よく、中心部が腐って中空になっても生きている木がありますが、それは 2 最初から死んでいるのです。

　生きている部分は、日々成長を続けています。春から秋まではさかんに成長し、冬にはごくわずかしか成長しません。そして、成長がよかった部分が白くなり、悪かった部分は黒色になります。 3 年輪(注2)のできるしくみです。ですから、４〜６年ほどで高さ20メートルに成長する熱帯地方特有の樹木バルサは、 4 、ほとんど年輪がありません。

　ちなみに、 5 毎年、外側に増えていくのでしょうか、それとも内側に増えていくのでしょうか。答えはもちろん、外側。樹皮の下の部分が生きているということを知っていれば、答えは簡単ですね。

(©本郷陽二／日本文芸社)

(注１) 樹皮：木の表面にある皮
(注２) 年輪：木を横に切ったときに見られる、円がいくつも重なっている模様

1

1　生きているのが　　　　　　　　　　　　2　生きているのは

3　死んでいるのが　　　　　　　　　　　　4　死んでいるのは

2

1　その部分が　　　　2　その部分は　　　　3　この部分なら　　　4　この部分も

3

1　これは　　　　　2　これが　　　　　3　それは　　　　　4　それが

4

1　気候の変化が多いので　　　　　　　　　2　気候の変化が少ないため

3　気候の変化は多ければ　　　　　　　　　4　気候の変化は少なかったら

5

1　木の年輪が　　　　2　木の年輪は　　　　3　木の年輪も　　　　4　木の年輪では

10課　接続表現

　接続表現は、文と文、段落と段落の関係をはっきりと示すために使われる言葉で、文章の展開を助け、文章にまとまりを持たせる役割を果たします。読む人からすると、次にどんな内容が書かれているかを予測する手がかりになります。

◆文章で使われる、N2レベルの接続表現の基本的な使い方は次のようなものです。

<table>
<tr><th colspan="2">続け方</th><th>a</th><th>b</th></tr>
<tr><td rowspan="8">話題を変えない</td><td>A　並べる</td><td>加えて言う
　しかも　そのうえ　さらに
　そればかりか　そればかりでなく</td><td>比べて言う
　それに対して　一方
どちらかであることを言う
　あるいは　それとも</td></tr>
<tr><td rowspan="2">B　論理的に続ける</td><td>結果・結論を言う
　そのため　したがって
　そこで　すると　このように
　こうして</td><td rowspan="2">予想と合わないことを言う
　だが
　ところが　それなのに
　それでも</td></tr>
<tr><td>理由・根拠・背景を言う
　なぜなら　というのは</td></tr>
<tr><td>C　説明を補う</td><td>別の言い方で言う
　つまり　要するに　いわば</td><td>足りない説明を言う
　ただし　ただ　もっとも
　なお</td></tr>
</table>

<table>
<tr><td>D　話題を変える</td><td>さて</td><td>ところで</td></tr>
</table>

A　話題を変えない―並べる

a 例 ・すごい雨だ。しかも、風まで強くなってきた。（同じ評価のことを加える）

　　・田中さんの家で料理をごちそうになった。そのうえ／さらに／そればかりか／そればかりでなく、お土産までもらった。（もっと程度が高いことを加える）

b 例 ・駅の南口の方はにぎやかだ。それに対して／一方、北口の方は静かだ。（比べる）

　　・風邪かもしれない。あるいは、インフルエンザかもしれない。（ほかの可能性を言う）

　　・仕事を続けるべきか。それとも、留学するべきか。（ほかの選択肢になる質問を言う）

B　話題を変えない—論理的に続ける

a 例・この町は標高1,000mの高地にある。<u>そのため</u>、夏でも涼しい。（結果を言う）

　　・ここは禁煙だ。<u>したがって</u>、たばこはここで吸ってはならない。（結論を言う）

　　・わからないところがあった。<u>そこで</u>、先生に聞いてみた。（その理由による行動を言う）

　　・太郎は箱を開けた。<u>すると</u>、中から煙が出てきた。（そのきっかけで起こることを言う）

　　・メールはいつでも簡単に送れるし、安い。しかし気持ちがよく伝わらないこともある。<u>このように</u>、メールにはいい点も良くない点もある。（結論を整理して言う）

　　・大学では友達もできたし、いいアルバイトも見つかった。<u>こうして</u>、わたしの新しい生活は始まった。（結果をまとめて言う）

　　・結婚式は必要ないと思う。<u>なぜなら／というのは</u>、お金がかかるからだ。（理由を言う）

b 例・この映画は30年前に作られた。<u>だが</u>、今も人気がある。（予想と合わないことを言う）

　　・何度も確認したはずだった。<u>ところが</u>、計算が間違っていた。（意外な事実を言う）

　　・全力で走った。<u>それなのに</u>、負けてしまった。（意外な事実や残念な事実を言う）

　　・宝くじが当たることはめったにない。<u>それでも</u>、買い続けている。

　　　　　　　　　　　　　　　　　　　　　　（その事実があっても変わらないことを言う）

C　話題を変えない—説明を補う

a 例・明日は休みだ。<u>つまり</u>、学校に行かなくてもいいのだ。（別の言い方で言う）

　　・野菜は健康にいいが、肉や魚などのたんぱく質も取る必要がある。<u>要するに</u>、いろいろな物をバランスよく食べることが重要だ。（要約する）

　　・このアニメを知らない日本人はいないだろう。<u>いわば</u>、これは国民的アニメだ。（例える）

b 例・閉館日は月曜です。<u>ただし</u>、祝日と重なる場合は翌日の火曜が閉館です。（例外を言う）

　　・この時計はデザインもいいし性能もいい。<u>ただ</u>、値段が高い。（評価や主張を修正する）

　　・わたしはテニスが好きだ。<u>もっとも</u>、最近はやっていない。（予想されることを修正する）

　　・説明会は3時までです。<u>なお</u>、その後ご質問を受け付けます。（補足情報を言う）

D　話題を変える

a 例・お久しぶりです。お元気ですか。<u>さて</u>、今日はお聞きしたいことがあってメールしました。
　　　　　　　　　　　　　　　　　　　（次の展開に進むために話を変える）

b 例・今年もあと1日。お正月の準備はお済みですか。<u>ところで</u>、12月31日が「大みそか」と呼ばれるのはなぜでしょうか。（別の方向に話を変える）

練習1 適当なものを選びなさい。

1 DVDを借りたい。(①a そのうえ b それなのに c すると)、近くにはDVDを借りられる店がない。そのような人も多いでしょう。(②a ところで b したがって c そこで)、考え出されたのが、インターネットでDVDが借りられるシステムです。

2 「あそこに咲いていた花はきれいだったね」と言われても、覚えていないことがある。(①a このように b ただ c さて)、記憶は人によって異なる。(②a ところが b あるいは c つまり)、見たものが必ず記憶に残るとは限らないのだ。

3 出版物などのコピーは私的な利用だけに制限されている。(①a あるいは b ところが c したがって)、ほかの人が書いた本を許可なくそのままコピーして多くの人に配ることはできない。(②a さらに b それとも c ただし)、目の不自由な人のために点字に直すことなどは認められている。

4 多くの人が、どこへ行くにも携帯電話を持ち歩いている。(①a しかも b いわば c そこで)、携帯電話は体の一部と言ってもいい。今の携帯電話は「電話」という名前以上の働きをする。(②a たとえば b なぜなら c すると)、持ち主が今どこにいるかもわかり、必要な情報を送ってくれる。(③a それとも b そればかりでなく c つまり)、銀行の通帳のような役割も持っている。(④a そのため b ただし c それでも)、わたしは携帯電話を持ちたくはない。この反抗心は何なのか。

練習2 ☐から適当なものを選び、＿＿＿の上に書きなさい。

┌─────────────────────────────┐
│ 一方　そこで　すると　なぜなら　こうして │
└─────────────────────────────┘

1 バナナがまだ青くて硬い場合はりんごと一緒に保存しておく。①＿＿＿＿＿＿、早く柔らかくなる。②＿＿＿＿＿＿、りんごからはエチレンという物質がたくさん出ているからだ。この物質がほかの果物を柔らかく甘くするのだ。

2 テレビが登場したばかりのころ、「向こうから見られている気がする」という苦情が多く来たのだそうだ。そのころのテレビ画面は丸かった。①＿＿＿＿＿＿、画面を四角いものに変えたら、このような苦情はなくなった。目玉にしても、カメラのレンズにしても、丸いものはこちらをのぞくものだという意識が働く。②＿＿＿＿＿＿、窓のような四角い穴なら、こちらから眺めるというテレビの機能と合っているというわけだ。③＿＿＿＿＿＿、テレビ画面は丸ではなくて四角い形が用いられるようになったのだという。

まとめ 次の文章を読んで、文章全体の内容を考えて、 1 から 5 の中に入る最もよいものを1・2・3・4から一つ選びなさい。

最近は、カフェ・オ・レという言葉もすっかり日本語に定着したようだ。私たちが大学時代に使った仏和辞典には「牛乳入りコーヒー」とか「ミルク・コーヒー」と訳語がついていたことを思うと隔世の感がある。

 1 、フランスの民衆がカフェ・オ・レに親しむようになったのはいつのころかというと、これが思っているよりも古く、十九世紀の初頭には、カフェ・オ・レとパンだけで朝食をすます習慣がすでに一般的になっていた。

 2 、早合点してはならないのは、当時のカフェ・オ・レは、コーヒーに牛乳を入れたものではなく、牛乳にコーヒーを入れたものだったということである。 3 、牛乳を飲みやすくするためにコーヒーで割ったのである。

今日ではちょっと信じられないが、ヨーロッパでは、長いあいだ、牛乳は飲むためのものではなく、バターやチーズを作るための原料にすぎなかった。なぜかといえば、牛乳は腐敗しやすく、変質したタンパクは強い毒性を持っているからである。

 4 、医者の中には、牛乳が回復期の病人に効果があると主張する者もあったので、わざわざ近郊の農家に出向いて、その場で牛乳を飲む都市住民も出てきた。やがて、目先のきく農民が、搾りたての牛乳を朝一番で運んできて都市の街角で売るようになった。結核の予防になるという噂が牛乳を飲む習慣をさらに広めた。

だがご存じのように、搾りたての牛乳というのは匂いがきつくて案外飲みにくいものである。

 5 匂い消しに登場したのがコーヒーだったというわけである。

(鹿島茂『クロワッサンとベレー帽　ふらんすモノ語り』中公文庫による)

---

1 1 また　　　　2 さらに　　　　3 ところが　　　　4 ところで
2 1 そのため　　2 しかも　　　　3 だが　　　　　　4 一方
3 1 つまり　　　2 やはり　　　　3 あるいは　　　　4 なるほど
4 1 なお　　　　2 しかし　　　　3 さて　　　　　　4 そればかりでなく
5 1 このように　2 すると　　　　3 そこで　　　　　4 したがって

11課 省略・繰り返し・言い換え

　文章としてのまとまりを持たせるために「省略」がよく行われます。省略とは、文章の流れの中で、何を指しているかはっきりわかっている語を後に続く文では言わないことです。そうすることによって言葉の無駄がなくなり、また、文章としてまとまりが出ます。

　また、前の文に出てきた言葉を関連する語で言い換えることがよくあります。これも文章にまとまりを持たせるための一つの手段です。

◇◇◇

A　省略されやすい場合

◆前の文に出てきて、後の文で同じ語の繰り返しになる場合は省略できます。

　例・あきらはまた『こころ』を読んでいる。もう３回も（『こころ』を）読んだそうだが、（『こころ』を）読むたびに新しい発見があるので、何回（『こころ』を）読んでも飽きないのだそうだ。

　　・先日、あるウイスキー工場へ見学に行った。（ウイスキー工場は）周囲に山々が見え、素晴らしい所だった。

◆前の文に出てきた言葉を「は」で受ける場合、「～は」は省略できます。

　例・家の前に車が止まっている。（車は）黒いベンツだった。

　　・あき子は窓際で本を読んでいた。（本は）前日、本屋で見つけ、迷わず買ったものだ。

◆前の文と後の文の主題（「～は」で表される）が同じ場合、後の文の主題を省略できます。

　例・うちは駅から10分のところにある。夜は人通りが少なくなる。（夜は）用心しなければ危ない。

　　・わたしは最近体調が良くない。（わたしは）仕事が多すぎるのだ。

B　省略されない場合

◆どの言葉の省略なのかわかりにくい場合は、省略しません。

　例・木村さんが林さんに荷物を渡した。林さんはとてもうれしそうだった。

　　　　　　　　　　　　　　　　　（省略すると主語が林さんか木村さんかわからなくなる。）

　　・この工場では26人の工員と３人の事務員が働いている。工員は、朝８時半には出勤する。

　　　　　　　　　（省略すると主語が工員か事務員か、あるいは工員と事務員なのかわからなくなる。）

◆主題を省略した文の後、次の文で別の言葉が主題になっている場合、ふつう省略しません。

例 ・わたしはリン・ブンショウと申します。(わたしは)中国から来ました。(わたしは)今、東西大学の経済学部３年生です。大学は東京から30キロ離れた所にあります。

C　繰り返し・言い換え

◆前の文に出てきた言葉を同じ言葉で繰り返したり、関連がある別の言葉などで言い換えたりします。

例 ・山田氏は学生時代、金がなく土木工事のアルバイトをよくやったという。労働はきつく、勉強する気力も残らないほどだった。

　　　土木工事のアルバイト・労働＝似た意味の言葉

　・わたしは子供のときから虫を観察するのが好きだった。何時間でも野原で虫を見ていた。時には精密に虫の絵を描いた。将来は虫博士になりたいと思っていた。20年後、夢は実現した。

　　　虫を観察・虫を見て・虫の絵・虫博士＝同じ語

　　　虫を観察・虫を見て＝似た意味の語

　　　将来は虫博士になりたいと思っていた・夢＝内容の言い換え

練習1 次の文の下線の言葉を省略できる場合は（　　　）で囲みなさい。

例　庭に桜の木がある。(桜の木は)祖母の代からこの家にある。

1　仕事と生活のバランスを保つのは難しい。仕事と生活のバランスが崩れると体調にも影響する。

2　サイレンが鳴った。サイレンは３回鳴った。

3　この料理は豆腐と卵で作ります。まず、ボールに豆腐を入れ、はしでかき混ぜて豆腐を崩します。

4　「世界どこでもトラベル」という番組はとても人気がある。この番組はクラスのほとんどの人が見ている。わたしもこの番組を毎週楽しみにしている。

5　ストレスという言葉を最初に使ったカナダのハンス・セリエ博士によれば、心と体は別々のものではなく、心で起きたことは体に影響を及ぼし、体で起きたことは心に影響を与える。したがって、心身の健康を考えるとき、ストレスをどう扱うかは大切なことである。

6　睡眠にはレム睡眠とノンレム睡眠がある。レム睡眠は、体は休んでいるが脳は覚めている眠りのことである。

7　わたしが住んでいる所は小さい村のはずれだ。わたしが住んでいる所は周囲に人家がない寂しい所である。人家は15分歩いた所にやっと１軒ある。

練習2   _____の部分の主語を書きなさい。

1　山田さん、ごぶさたしています。お宅のみなさんは<u>お元気ですか</u>。おととし<u>お会いした</u>と
　　_例　　　　　　　　　　　　　　　　　　　　　　　①
きには、年内に仕事でスイスに<u>行かれる</u>とのことでしたが、その後、またどこかに<u>出張さ</u>
　　　　　　　　　　　　　②　　　　　　　　　　　　　　　　　　　　　　③
<u>れましたか</u>。

　実は、わたしも先日、スイスに行ってまいりました。本当に美しい<u>国ですね</u>。あちこち<u>見て</u>
　　　　　　　　　　　　　　　　　　　　　　　　　　　　④　　　　　　　　　⑤
<u>周りました</u>。スイスにいとこが住んでいるので、何かと<u>世話してくれました</u>。いとこは今度は、
　　　　　　　　　　　　　　　　　　　　　　　　⑥
日本で<u>仕事をするのだそうで</u>、久しぶりに日本に帰れると言って、<u>喜んでいました</u>。
　　　⑦　　　　　　　　　　　　　　　　　　　　　　　　　　　⑧

　　　例：お宅のみなさん

　①：＿＿＿＿＿＿＿　　　　②：＿＿＿＿＿＿＿　　　　③：＿＿＿＿＿＿＿

　④：＿＿＿＿＿＿＿　　　　⑤：＿＿＿＿＿＿＿　　　　⑥：＿＿＿＿＿＿＿

　⑦：＿＿＿＿＿＿＿　　　　⑧：＿＿＿＿＿＿＿

2　「コピーアンドペースト（コピペ）」という言葉が話題になっている。「<u>コピーしてはりつける</u>」
　　　　　　　　　　　　　　　　　　　　　　　　　　　　　　①
という意味だ。元はパソコン用語だが、このごろは「ほかの人が書いて、ウェブ上に<u>載せた</u>
　　　　　　　　　　　　　　　　　　　　　　　　　　　　　　　　　　　　②
ものを、そのままコピーして自分の文章の中に使う」という意味で<u>使われる</u>ことが多い。「コ
　　　　　　　　　　　　　　　　　　　　　　　　　　③
ピペ論文はだめです。自分の言葉で書きなさい」と<u>言って</u>、大学の先生たちもこれを禁止し
　　　　　　　　　　　　　　　　　　　　　④
ているが、なかなか<u>なくならない</u>。最近は不正なコピペが行われていないかどうかを調べる
　　　　　　　　⑤
ソフトが作られているようだ。大いに<u>役立つ</u>と期待される。
　　　　　　　　　　　　　　　　⑥

　①：＿＿＿＿＿＿＿　　　　②：＿＿＿＿＿＿＿　　　　③：＿＿＿＿＿＿＿

　④：＿＿＿＿＿＿＿　　　　⑤：＿＿＿＿＿＿＿　　　　⑥：＿＿＿＿＿＿＿

まとめ 次の文章を読んで、文章全体の内容を考えて、　1　から　5　の中に入る最もよいものを１・２・３・４から一つ選びなさい。

ぼくは、まわりの人があきれてしまうぐらいに、もの忘れをしてしまいます。

たとえば、ぼくが学生に「こういう実験をしてみたらどう？」と言ったはずなのに、一週間後にその実験をしている姿を見て「なんでそういう実験をやっているの？」と訊いたりする。挙句の果てに「その実験はあまり意味がない」みたいなことさえも　1　。もの忘れがひどいのは昔からなのです。（略）

もの忘れやド忘れ(注)が増えると思えてしまう理由は、いくつかあります。子どもの頃に比べて大人はたくさんの知識を頭の中に詰めているから、　2　知識を選び出すのに時間がかかる。「大人が一万個の知識の中からひとつを選ぶようなものとしたら、子どもは十個の記憶の中からひとつ選び出すだけだからすぐにできる」というような比喩ができます。

生きてきた上で　3　わけだから、これはもう仕方のないことと言っていいと思います。ド忘れをしていても、その内容を誰かに言ってもらうと「あぁ、それそれ！　それを言いたかった」とわかりますよね。つまり、ド忘れしている最中でも、その一方で脳は、正解が何かもまた、ちゃんと知っているわけです。つまり、忘れてしまった情報が消えてしまった　4　。

それともうひとつ、実は子どももたくさんド忘れをするんです。ぼくも小さい頃からあちこちにものを置き忘れて困った記憶があるのですが、ただ、重要なことは、　5　気にしていない。それが健全な姿だと思います。

（池谷裕二・糸井重里『海馬　脳は疲れない』朝日出版社による）

(注)ド忘れ：よく知っているはずのことを忘れてどうしても思い出せないこと

1　1　言ってしまう　　　2　言われてしまう　　3　言わせてしまう　　4　言わされてしまう

2　1　その忘れたことの中から　　　　　2　その一万個の中から

　　3　そのたくさんの中から　　　　　　4　そのいくつかの中から

3　1　たくさんのことを忘れた　　　　　2　たくさんのド忘れをした

　　3　たくさんの知識を蓄えた　　　　　4　たくさんのことを選び出した

4　1　わけにはいかない　2　わけがない　　3　はずがない　　　　4　わけではない

5　1　子どもはその記憶を　　　　　　　2　子どもはそのド忘れを

　　3　大人はその記憶を　　　　　　　　4　大人はそのド忘れを

文章（ぶんしょう）としてのまとまりを持（も）たせるために、文体（ぶんたい）を統一（とういつ）するのが普通（ふつう）です。比較的硬（ひかくてきかた）い文章（ぶんしょう）で使（つか）われる文法形式（ぶんぽうけいしき）や語彙（ごい）は、日常的（にちじょうてき）な会話（かいわ）の中（なか）で使（つか）われるものとは異（こと）なります。

文体（ぶんたい）＝文章（ぶんしょう）の種類（しゅるい）・場面（ばめん）・目的（もくてき）によって異（こと）なる表現形式（ひょうげんけいしき）

◇◇

A　硬（かた）い文章（ぶんしょう）の基本（きほん）

◆全体（ぜんたい）を普通体（ふつうたい）か丁寧体（ていねいたい）かどちらかに統一（とういつ）して書（か）きます。

◆縮約形（しゅくやくけい）や会話（かいわ）にだけ現（あら）われる言（い）い方（かた）は使（つか）いません。

例　×　これは経済政策（けいざいせいさく）じゃない、っていうか、税金（ぜいきん）の無駄遣（むだづか）いって思（おも）ったんだよ。

　　　○　これは経済政策（けいざいせいさく）ではない。というより、税金（ぜいきん）の無駄遣（むだづか）いだと思（おも）ったのだ。

◆助詞（じょし）の省略（しょうりゃく）はしません。

例　×　現場（げんば）行（い）って、故障（こしょう）の原因（げんいんし）調（しら）べた。

　　　○　現場（げんば）へ行（い）って、故障（こしょう）の原因（げんいん）を調（しら）べた。

◆読（よ）む人（ひと）を直接意識（ちょくせついしき）しているような書（か）き方（かた）はしません。

・敬語（けいご）　　　×　すでにご紹介（しょうかい）したように、今（いま）、少子化（しょうしか）の問題（もんだい）は深刻（しんこく）である。

　　　　　　　　　○　すでに述（の）べたように、今（いま）、少子化（しょうしか）の問題（もんだい）は深刻（しんこく）である。

・依頼表現（いらいひょうげん）　×　この問題（もんだい）について改（あらた）めて考（かんが）えてみてください。

　　　　　　　　　○　この問題（もんだい）について改（あらた）めて考（かんが）えてみてほしい・考（かんが）えてみてもらいたい・

　　　　　　　　　　　　　　　　　　　　　　　　考（かんが）えてみたほうがいい。

B　硬（かた）い表現（ひょうげん）と会話（かいわ）で使（つか）う表現（ひょうげん）

◆比較的硬（ひかくてきかた）い文章（ぶんしょう）の中（なか）に日常会話（にちじょうかいわ）で使（つか）う言（い）い方（かた）が混（ま）じると、文体（ぶんたい）が統一（とういつ）できません。以下（いか）のような文法形式（ぶんぽうけいしき）に注意（ちゅうい）しましょう。

（数字（すうじ）と記号（きごう）は第（だい）1部（ぶ）の課（か））

意味	硬い文章で使う表現	日常会話で使う表現
例（たと）える	〜ようだ	〜みたいだ

時間関係を表す	〜に際して・あたって（1）	〜とき
	〜つつある（2）	〜ている
限定する 限定しない	〜のみ（F）	〜だけ
	〜のみならず（6）	〜だけじゃなくて
	〜はもとより（6）	〜はもちろん
例示する	〜など・〜といった（10）	〜とか
条件を表す	〜であれば	〜だったら
	〜であっても	〜だって
	〜にせよ（15）	〜にしても（15）・〜にしたって
理由を表す	〜ため・〜によって（16）	〜ものだから（16）・〜もので（16）
	〜につき（16）	〜ことだし（17）
軽く言う	〜など（21）	〜なんか・〜なんて（21）
意見や判断を 述べる	〜おそれがある（22）	〜かもしれない
	〜まい（22）・〜ではあるまいか（22）	〜ないんじゃない
	〜に相違ない（22）	〜にきまっている（22）
	〜にほかならない（23）	絶対〜だ
強くそう感じる	〜ざるを得ない（25）	〜なくちゃ・〜なきゃ

◆語彙も文体によって使われるものが違います。同じような意味の言葉でも、硬い文章では漢字だけを使う漢語が多く使われます。

品詞	硬い文章で使う表現	日常会話で使う表現
副詞	非常に・大変・極めて	とても・すごく
	わずかに	ちょっと・少々
	多数・大量に	いっぱい
	徐々に・次第に	だんだん
動詞	述べる・語る	しゃべる
接続詞	しかし・だが	でも・けど
その他	このような・こうした	こんな

練習1 どちらか適当な方を選びなさい。

1 このまま温暖化が続けば、多くの生物が絶滅するに（①a 違いない　　b きまってる）。さらに、他の生物（②a のみならず　　b だけじゃなくて）人間も住めなくなるだろう。

2 自分が悪いことをしたと思ったのなら、（①a 謝らなきゃ　　b 謝らなければ）ならない。（②a こんな　　b このような）基本的なことができない大人が（③a 多すぎるんじゃないでしょうか　　b 多すぎるのではないだろうか）。

3 ＜親しい友達に＞「あ、太郎君。ごめん。今、（①a わずかに　　b ちょっと）困ったことが（②a 起こっちゃって　　b 発生してしまって）、家を出られないの。遅れる（③a おそれがある　　b かもしれない）から、先に行ってて。」

4 ある調査によると、毎日（①a 本や新聞など　　b 本とか新聞とか）の活字を読んでいる子供は、（②a そうじゃない　　b そうでない）子供に比べて、自分の意見を（③a しゃべる　　b 伝える）能力が高いことがわかった。

5 ＜新聞記事＞首相は23日の記者会見において、新しく大臣に（①a 就任する　　b なられる）議員の名前を（②a 言う　　b 発表する）ことになっている。

練習2 _____の部分は文体に合っていません。合うように書き換えなさい。

1 ＜レポート＞日本人の学生と留学生を対象に ①やった「大学生活への満足度」に関するアンケート調査の結果を ②ご報告いたします。最も違いが大きかった項目は「 ③なんでこの大学を選んだか」 ④っていう質問に対する答えで、「自分の学力ではここしか入れなかった ⑤もんで」 ⑥とかの消極的な理由が日本人学生に目立った。

①：＿＿＿＿＿＿　②：＿＿＿＿＿＿　③：＿＿＿＿＿＿　④：＿＿＿＿＿＿

⑤：＿＿＿＿＿＿　⑥：＿＿＿＿＿＿

2 ＜新聞記事＞宇宙航空開発機構は5日、台風の影響 ①があることだし、6日早朝7時に予定されていた人工衛星ロケットの打ち上げを、延期すると発表した。新たな打ち上げは、関係者のお話では ②、9日午後 ③だったら調整可能だという。詳細は ④決まったらすぐ発表するとしている。

①：＿＿＿＿＿＿　②：＿＿＿＿＿＿　③：＿＿＿＿＿＿　④：＿＿＿＿＿＿

まとめ 次の文章を読んで、文章全体の内容を考えて、 1 から 5 の中に入る最もよいものを１・２・３・４から一つ選びなさい。

日本人は、たった50年ほどの間に、多くの家電製品に囲まれて大量にエネルギーを使う生活様式へと変化しました。私たちの生活空間はモノで豊かになりましたが、相変わらず生活時間の点では貧乏な状態がつづいています。これまでの研究からは、いくら労働が節約できる製品が開発されても、私たちが求めている生活水準がそれ以上に上昇して 1 、家事時間は 2 減らなかったことがわかっています。その傾向はいまでもつづいているのです。

また、生まれてくる子どもは減り続けて、少子高齢化が問題になっています。日本では、仕事をしている人は、自分が普通に暮らすための家事 3 十分にこなす余裕がないこともわかりました。 4 、子どものために家事や育児をする時間がなく、少子化は避けられません。新しいモノを次々と大量に購入しては買い換え続けていることと、時間にゆとりを持てないことのあいだには密接な関係が 5 。いまの日本の生活様式は、「環境を破壊しながら国民が消えていく」ものになってしまっているという点で、持続可能な社会とはほど遠いのが現状です。

（品田知美「家族の日常生活を学問する」『いま、この研究がおもしろいPart2』岩波ジュニア新書による）

1
1　しまったんで　　　　　　　　　　2　しまったし
3　しまったのですから　　　　　　　4　しまったために

2
1　かなり　　　2　ほとんど　　　3　絶対　　　4　あんまり

3
1　でさえも　　　2　だって　　　3　なんて　　　4　なんかも

4
1　これでは　　　2　こんなのでは　　　3　これなら　　　4　こうしては

5
1　あるのではないだろうか　　　　　2　あるんじゃないか
3　あるのではないでしょうか　　　　4　あるんじゃないでしょうか

模擬試験

第1回

問題1　次の文の（　　　　）に入れるのに最もよいものを、1・2・3・4から一つ選びなさい。

1　就職する（　　　　）、林先生には大変お世話になりました。

　　1　において　　　　2　にあたって　　　　3　にかけて　　　　4　にともなって

2　このメーカーは、デジタルカメラや携帯電話（　　　　）製品を多く作っている。

　　1　という　　　　　2　といった　　　　　3　とする　　　　　4　とした

3　この二つは同じ値段だが、量（　　　　）こちらを買ったほうが得だ。

　　1　からいうと　　　2　からでは　　　　　3　といえば　　　　4　にしては

4　面接では（　　　　）、頭が真っ白になってしまった。

　　1　緊張のあまり　　　　　　　　　　　2　緊張のうちに

　　3　緊張したところ　　　　　　　　　　4　緊張したとたん

5　外国で暮らす（　　　　）ものの見方が広がるものだ。

　　1　とは　　　　　　2　なら　　　　　　3　と　　　　　　　4　のに

6　昔はどの家の父親も厳しく、文句を（　　　　）すぐにたたかれた。

　　1　言おうものなら　　　　　　　　　　2　言うはもとより

　　3　言おうとして　　　　　　　　　　　4　言うどころか

7　（　　　　）我々のような素人だけで経営がうまくいくのか、心配だった。

　　1　たとえ　　　　　2　たいして　　　　3　いかに　　　　　4　果たして

8　わざと忘れた（　　　　）、許してあげたらどうですか。

　　1　はずではないとすると　　　　　　　2　のではないとすると

　　3　わけではないのなら　　　　　　　　4　つもりではないのなら

9　最初は簡単な仕事でも、今後経験が（　　　　）、いろいろな仕事をさせてもらえるようになるだろう。

　　1　増えてくるのによって　　　　　　　2　増えていくのによって

　　3　増えてくるにしたがって　　　　　　4　増えていくにしたがって

10 部長「山田さん、例の日程、決まった？」

山田「明日打ち合わせに行ってくるので、（　　　　　）。」

1　決まり次第、お伝えします　　　　　2　決まり次第、お伝えになります

3　決まった際、お伝えします　　　　　4　決まった際、お伝えになります

11 今回の事故は、歩行者も信号無視をしているのだから、運転手が悪い（　　　　　）だろう。

1　ばかりとは言えない　　　　　　　2　とばかりは言えない

3　ばかりとは言いかねない　　　　　4　とばかりは言いかねない

12 この曲は一生懸命練習してきただけに、（　　　　　）。

1　すごく難しかった　　　　　　　　2　ぜひ聞いてください

3　かなり自信がある　　　　　　　　4　とてもいい曲だ

問題2　次の文の＿★＿に入る最もよいものを、1・2・3・4から一つ選びなさい。

13 スーパーのレジで子供が＿＿＿ ＿＿＿ ＿★＿ ＿＿＿10円出してやった。

　　1　困っているのを　　2　お金が　　　　　3　見かねて　　　　4　足りなくて

14 そのとき＿＿＿ ＿＿＿ ＿★＿ ＿＿＿ものだった。

　　1　示された　　　　　2　受け入れがたい　3　条件は　　　　　4　我々にとって

15 とれたての魚を工場の＿＿＿ ＿＿＿ ＿★＿ ＿＿＿輸送しています。

　　1　温度管理の　　　　2　徹底した　　　　3　もとで　　　　　4　急速冷凍し

16 これから＿＿＿ ＿＿＿ ＿★＿ ＿＿＿説明させていただきます。

　　1　特に注意するべき　2　において　　　　3　本日の作業　　　4　点について

17 この間のことで何か＿＿＿ ＿＿＿ ＿★＿ ＿＿＿してしまい、失礼しました。

　　1　そのままに　　　　2　と思いつつ　　　3　お礼を　　　　　4　しなければ

問題3　次の文章を読んで、文章全体の内容を考えて、[18] から [22] の中に入る最もよいも
　　　のを１・２・３・４から一つ選びなさい。

　「インターネットができて、ますます忙しい」

　この問題は、まさに自分自身の悩みでもあるのですが。インターネットが発達して便利に
なったのですから、「インターネットでできた余暇を、これからどう使う？」というふうに
[18] のに、現実はまったく逆で、「インターネットができて、ますます忙しい」ということ
になってしまっています。

　新幹線ができたら、東京と大阪の往復がずっと時間短縮できたのですから、その分、ビジ
ネスマンたちはらくになってもよかったのですが、実際には、[19] 商談をまとめて日帰
りの出張ができると、かえって忙しくなった人のほうが多かった。これと同じようなことが、
起こっています。昼でも夜でも調べものができるし、いつでも都合のいい時間に連絡のメー
ルを出せる。[20] 、世界のどこへでも瞬間的に情報を送れる、となったら、その便利を利
用して、少しでも有利なビジネスを展開しようと考えてもおかしくはありません。だって、「よ
りたくさん生産する」ことが価値だ、という社会なのですから、そこにこんなに便利な道具が
登場したら、生産のためにひっきりなしに [21] 当然のことだと言えます。

　しかし、そうです。たくさん生産できても、消費する市場がそれに見合った力を持ってい
なかったら、いくら忙しく働いても、つくったこと、つくったものが、実はムダになってし
まう。[22] 、真剣に研究するべき課題です。特に、インターネットという、いつでも、い
くらでも仕事をし続けられるような道具ができたら、もっと「休み方」を真剣に考えていかな
いと、キツイことになるはずです。

（糸井重里『インターネット的』PHP新書による）

---

[18]　1　ならなければおかしくない　　　　　2　なればおかしい

　　　3　なってもおかしくない　　　　　　　4　なってもおかしい

[19]　1　この距離（きょり）くらいなら　　　　　　2　この距離くらいでは

　　　3　これほどの距離があれば　　　　　　4　これほどの距離では

[20]　1　つまり　　　　　2　しかも　　　　　3　あるいは　　　　4　それでも

[21]　1　使えば　　　　　2　使われれば　　　3　使うのは　　　　4　使わせるのは

[22]　1　休み方も、仕事のように　　　　　　2　仕事も、休み方のように

　　　3　休み方は、仕事と違って　　　　　　4　仕事は、休み方と違って

問題1　次の文の（　　　　）に入れるのに最もよいものを、1・2・3・4から一つ選びなさい。

1 最近では、この果物は季節（　　　　）食べられます。
　　1　もかまわず　　　　2　はともかく　　　　3　を抜きにして　　　4　を問わず

2 何か食べない（　　　　）、おなかがすいて勉強できない。
　　1　ものなら　　　　　2　ものでは　　　　　3　ことには　　　　　4　ことから

3 山田選手は県の代表（　　　　）全国大会に出場することになった。
　　1　にして　　　　　　2　として　　　　　　3　にとって　　　　　4　とあって

4 彼自身がいろいろな経験をしてきた（　　　　）、適切なアドバイスができるのだ。
　　1　わりに　　　　　　2　ばかりに　　　　　3　からこそ　　　　　4　ものだから

5 今回の問題については、我々も考えられる（　　　　）の対策はすべて行っています。
　　1　だけ　　　　　　　2　のみ　　　　　　　3　まで　　　　　　　4　ほど

6 わたしはあまりふるさとには帰らない。2、3年に1度（　　　　）。
　　1　帰るに限る　　　　　　　　　　　　　　2　帰るしかない
　　3　帰る限りだ　　　　　　　　　　　　　　4　帰るにすぎない

7 A「あの人、ひどい。どうしてあんなことするのかしら。」
　　B「そんなに（　　　　）。わざとやったわけじゃないだろう。」
　　1　怒ることはあるまいか　　　　　　　　　2　怒ることじゃあるまいか
　　3　怒ることはないじゃないか　　　　　　　4　怒らないことじゃないか

8 その本は最近読んだと言っていたけど、（　　　　）、内容を忘れているね。
　　1　読んでばかりだけあって　　　　　　　　2　読んだばかりだけあって
　　3　読んでばかりにしては　　　　　　　　　4　読んだばかりにしては

9 だれにも言うなと言われると、だれかに（　　　　）。
　　1　話すよりほかないものだ　　　　　　　　2　話すよりほかないことだ
　　3　話さずにいられないものだ　　　　　　　4　話さずにいられないことだ

10 この会社は給料が特に高い（　　　　　）、働く環境<ruby>環境<rt>かんきょう</rt></ruby>はとてもいいので辞める人がいない。

1　わけがないどころか　　　　　　　2　わけではないどころか

3　わけがないものの　　　　　　　　4　わけではないものの

11 医者が言うようにこの病気がストレスの（　　　　　）、少し仕事を休んだほうがいい。

1　せいだとなると　　　　　　　　　2　せいだとしたら

3　あまりだとなると　　　　　　　　4　あまりだとしたら

12 二人はそのとき初めて会ったにもかかわらず、（　　　　　）。

1　昔からの知り合いのようだった　　2　昔からの知り合いだったようだ

3　昔からの知り合いらしい　　　　　4　昔からの知り合いらしかった

問題2　次の文の＿★＿に入る最もよいものを、1・2・3・4から一つ選びなさい。

13 念のために確認してみましたが＿＿＿＿ ＿＿＿＿ ＿★＿ ＿＿＿＿ことでした。

　　1　多少の　　　　　　　2　との　　　　　　　3　問題ない　　　　4　時間の変更は

14 わたしが住んでいる所では＿＿＿＿ ＿＿＿＿ ＿★＿ ＿＿＿＿被害は出ていない。

　　1　幸いな　　　　　　　2　ような　　　　　　3　ことに　　　　　4　ニュースになっている

15 ワインの工場で＿＿＿＿ ＿＿＿＿ ＿★＿ ＿＿＿＿わけではないのだ。

　　1　社員みんなが　　　　2　働いている　　　　3　お酒に強い　　　4　からといって

16 その客は店員の＿＿＿＿ ＿＿＿＿ ＿★＿ ＿＿＿＿何も聞いてこなかった。

　　1　それ以上　　　　　　2　見えて　　　　　　3　説明に　　　　　4　満足したと

17 前に成功した方法が＿＿＿＿ ＿＿＿＿ ＿★＿ ＿＿＿＿のではないだろうか。

　　1　有効　　　　　　　　2　限らない　　　　　3　とは　　　　　　4　いつでも

問題3　次の文章を読んで、文章全体の内容を考えて、　18　から　22　の中に入る最もよいものを１・２・３・４から一つ選びなさい。

　　概して教えることが好きな人は、話が長い。それだけ情熱や愛情に　18　ということでもあるが、はっきりいってあまり意味はない。教えられる側は、しばしば「ポイントだけにしてくれ」という気持ちになるものだ。

　　では、　19　何か。人に何かを教えるとき、まず「なぜできないのか」を説明したり、「やればできる」的な精神論から入る人は多い。だがその前に、「　20　やればいい」という具体的な"定番"を見せることが重要だ。

　　　21　、あなたの部下に仕事の遅い人がいたとする。報告・連絡も、パソコンによる資料づくりも時間がかかり、周囲が迷惑していたとしよう。そういう人に、「お前のせいで周りが迷惑している」とか「心構えができていない」などと責めることは、「教える」になっていない。

　　必要なのは、まず簡単かつ具体的なアドバイスを一つ与え、　22　。その結果を踏まえた上で、あらためて次のアドバイスを与える。こうして少しずつステップアップしていくのが効率的だ。

（齋藤孝『１分で大切なことを伝える技術』PHP新書による）

18
1　溢（あふ）れる　　　　　　2　溢れた　　　　　　3　溢れている　　　　　4　溢れていた

19
1　ポイントが　　　　　2　ポイントには　　　　3　ポイントでは　　　　4　ポイントとは

20
1　こういうふうに　　　　　　　　　　　2　そういうふうに
3　ああいうふうに　　　　　　　　　　　4　どんなふうに

21
1　つまり　　　　　　2　ところで　　　　　3　たとえば　　　　　4　一方

22
1　実践（じっせん）させてみるのだ　　　　　　2　実践させてみることだ
3　実践させてみるのがよい　　　　　　4　実践させてみてはどうか

索引

あ

〜あげく	90, 136
〜あまり	75
あまりの〜に	75

い

〜以上(は)	79, 136
〜一方だ	12, 136

う

〜上(で)	16
〜上(に)	31
〜上は	79, 136
〜(よ)うか〜まいか	109, 134
〜うちに	12
〜(よ)うではないか	108
〜(よ)うとしている	13
〜(よ)うものなら	68, 128, 136
〜得る	83

え

〜得ない	83

お

〜おかげだ	75, 136
〜おそれがある	100, 136

か

〜限り	21
〜限り(は)	24
〜限りでは	24
〜がたい	82
〜かと思うと	9, 136
〜かと思ったら	9, 136
〜か〜ないかのうちに	9, 134, 136
〜かねない	100, 136
〜かねる	82
〜からいうと	124
〜からして	20, 124
〜からすると	124
〜からといって	65, 124, 140
〜からには	79, 136

き

〜きり	90, 136

く

〜くらい	96, 134
〜ぐらい	96, 134

こ

〜こと	129
〜ことか	117, 129, 140
〜ことから	132
〜ことだ①	108, 129
〜ことだ②	117, 129
〜ことだし	78, 129, 136
〜ことだろう	117, 129, 140
〜ことなく	129
〜ことに	129
〜ことは〜が	129
〜ことはない	109, 129, 140, 146

さ

〜際(に)	8
〜最中だ	12
〜さえ	97, 134, 140
〜ざるを得ない	113, 126, 136, 146

し

〜しかない	105, 146
〜次第	17, 136
〜次第だ	43

す

〜末(に)	91
〜ずじまいだ	91, 126, 136
〜ずにはいられない	113, 126, 136, 146

せ

〜せいだ	75, 136

た

〜たいものだ	116, 128, 136
〜だけ	21
〜だけに	78, 136
〜だけ(のことは)ある	86, 136

〜たところ	90, 132, 136
〜たとたん(に)	9, 136
〜だの〜だの	134

つ

〜つつ	13, 126
〜つつ(も)	65, 126
〜つつある	13, 126

て

〜て以来	17
〜てからでないと	17, 140
〜てからでなければ	17
〜てこのかた	17
〜てしかたがない	112, 136, 146
〜てしょうがない	112
〜てたまらない	112, 146
〜てでも	97, 136
〜てならない	112, 136, 146
〜ではあるまいか	101, 126
〜てはじめて	16
〜てほしいものだ	116, 128
〜てまで	96

と

〜というか〜というか	46, 134
〜ということだ	129
〜というと	61, 124
〜というものだ	104, 128
〜というものではない	57, 128, 146
〜というものでもない	57
〜というわけだ	132
〜というわけではない	57, 132, 146
〜といえば①	60
〜といえば②	61, 124
〜といった	47, 124, 140
〜といったら①	61, 124
〜といったら②	61
〜といっても	65, 124
〜(か)と思うと	9, 136

〜(か)と思ったら	9, 136
〜どころか	56, 132
〜ところから	132
〜ところだった	91, 132
〜どころではない①	56, 132, 146
〜どころではない②	83, 132, 136, 146
〜としたら	68, 124
〜として	87, 142
〜として〜ない	97, 134, 140
〜としても	69
〜とすると	68, 124, 136
〜とすれば	68, 124
〜とともに	42
〜となったら	68
〜(のこと)となると	61, 129
〜となると	68, 136
〜となれば	68
〜とのことだ	129
〜とは	60, 134
〜とはいいながら	124
〜とはいうものの	64, 128, 136
〜とみえる	100, 136

な

〜ないことには	69, 129, 140
〜ないではいられない	113, 136, 146
〜ないもの(だろう)か	117, 128
〜ないわけに(は)いかない	113, 132, 136, 146
〜ながら(も)	64
〜など	96, 134
〜なんか	96, 134
〜なんて	96, 134

に

〜にあたって	8, 122, 142
〜において	122, 143
〜に応じて	43, 122, 142
〜にかかわらず	52, 126
〜にかかわりなく	52

～に限って	25, 122, 140
～に限らず	30
～に限り	24
～にかけては	34, 136
～に関して	34, 122, 143
～にきまっている	101
～に越したことはない	105, 146
～にこたえて	35, 122, 143
～に際して	8, 122, 142
～に先立って	122
～にしたがって	42, 122
～にしたら	87, 124
～にしては	86, 124
～にしてみれば	87
～にしても①	69, 124, 140
～にしても②	87
～にしても～にしても	47, 134
～にしろ	69, 124, 140
～にしろ～にしろ	47, 134
～にすぎない	104, 146
～にすれば	87, 124
～にせよ	69, 126, 140
～にせよ～にせよ	47, 134
～に相違ない	101, 146
～に沿って	38, 122, 142, 143
～に対して	35, 122, 143
～に違いない	101, 146
～につき	75
～につけて	43
～につれて	42, 122
～にとって	87
～に伴って	42, 122, 143
～にほかならない	104, 146
～にもかかわらず	64, 126, 136
～に基づいて	38, 122, 142, 143
～によって	74, 122, 143
～にわたって	20, 122, 143

の

～のことだから	78, 129, 136
～のこととなると	61, 129
～のみ	134
～のみならず	30
～のもとで	39, 142
～のもとに	39

は

～ばかりか	30
～ばかりだ	12, 136
～ばかりに	79, 136
～はさておき	53
～はともかく（として）	53
～はもとより	31

へ

～べきだ	105, 126
～べきではない	105, 126

ま

～まい①	101, 126
～まい②	109, 126
～まで	96, 134
～までして	96, 134

む

～向けだ	39

も

～もかまわず	52, 126, 136
～もの	74, 128
～ものか①	56, 128
～ものか②	109, 128
～ものがある	117, 128
～ものだ①	104, 128
～ものだ②	108, 128
～ものだ③	116, 128
～ものだから	74, 128, 136
～もので	74, 128
～ものではない	108, 128, 146
～ものなら	68, 128, 136

〜ものの	64, 128, 136

や

〜やら〜やら	46, 134

よ

〜ようか〜まいか	109, 134
〜ようがない	83, 146
〜ようではないか	108
〜ようとしている	13
〜ようものなら	68, 128, 136
〜よりほかない	105, 146

わ

〜わけがない	56, 132, 146
〜わけではない	57, 132, 146
〜わけだ	132
〜わけにはいかない	82, 132, 136, 146
〜わけにもいかない	82
〜わりに(は)	86

を

〜を通じて	21, 122, 142
〜を通して	21, 122
〜を問わず	52, 126
〜を抜きにしては	69, 140
〜をはじめ(として)	20, 143
〜をめぐって	34, 122
〜をもとに(して)	38, 142

著者

友松悦子　元拓殖大学留学生別科　非常勤講師

福島佐知　拓殖大学別科日本語教育課程、亜細亜大学全学共通科目担当、
　　　　　東京外国語大学留学生日本語教育センター　非常勤講師

中村かおり　拓殖大学外国語学部　准教授

装丁・本文デザイン

糟谷一穂

しんかんぜん 新完全マスター文法　日本語能力試験Ｎ２

2011 年 7 月 20 日　初版第 1 刷発行
2019 年 1 月 11 日　第 10 刷 発 行

著　者　友松悦子　福島佐知　中村かおり
発行者　藤嵜政子
発　行　株式会社　スリーエーネットワーク
　　　　〒102-0083　東京都千代田区麹町 3 丁目 4 番
　　　　　　　　　　トラスティ麹町ビル 2F
　　　　電話　営業　03（5275）2722
　　　　　　　編集　03（5275）2725
　　　　http://www.3anet.co.jp/
印　刷　萩原印刷株式会社

ISBN978-4-88319-565-7　C0081

新完全マスター **文法**

日本語能力試験 **N2**

別冊

解答

スリーエーネットワーク

解答

実力養成編
じつりょくようせいへん

第1部　文の文法1
だい　ぶ　ぶん　ぶんぽう

1課

1	1. b	2. c	3. a	4. c	5. a
2	1. b	2. c	3. b	4. c	
3	1. a	2. c	3. a	4. b	
4	1. c	2. b	3. c	4. a	
5	1. a	2. b	3. a	4. b	
1~5	1. c	2. c	3. a	4. a	

2課

1	1. b	2. b	3. a	4. a	5. c
2	1. c	2. c	3. a	4. b	5. c
3	1. a	2. b	3. c		
4	1. c	2. a			
5	1. a	2. b			
6	1. b	2. a	3. c		
1~6	1. b	2. a	3. b	4. c	5. c
	6. a				

3課

1	1. a	2. a	3. b	4. c	
2	1. c	2. a	3. c	4. a	5. b
3	1. b	2. c	3. c	4. a	5. b
4	1. c	2. a	3. b		
5	1. c	2. c	3. b		
1~5	1. b	2. a	3. c	4. a	5. c

4課

1	1. b	2. a	3. a		
2	1. b	2. a	3. c	4. c	
3	1. c	2. c	3. b	4. a	
4	1. a	2. c	3. a	4. b	
5	1. a	2. b	3. a		
6	1. c	2. b	3. b		
1~6	1. a	2. a	3. b	4. c	5. c

5課

1	1. b	2. a	3. c	4. a	5. b

2	1. b	2. a	3. b	4. c	5. a
3	1. c	2. b	3. c	4. a	
4	1. c	2. a	3. b	4. b	5. a
1~4	1. a	2. a	3. c	4. a	5. b

問題（1課～5課）

1	2	2	2	3	1	4	3	5	1
6	4	7	4	8	2	9	2	10	3
11	1	12	2	13	2	14	3	15	2

6課

1	1. a	2. c	3. c	4. b	
2	1. c	2. a	3. b		
3	1. b	2. c	3. a	4. a	
4	1. a	2. b	3. b		
5	1. c	2. a	3. a		
1~5	1. b	2. a	3. c	4. c	5. b
	6. a				

7課

1	1. b	2. b	3. a	4. a	
2	1. b	2. c	3. c		
3	1. b	2. a	3. c	4. a	
4	1. b	2. c	3. b	4. a	
5	1. a	2. c	3. a		
1~5	1. c	2. b	3. c	4. b	5. a

8課

1	1. a	2. c	3. c	4. a	
2	1. a	2. a	3. c		
3	1. a	2. b	3. b		
4	1. c	2. a	3. a	4. b	
5	1. b	2. a	3. c		
1~5	1. c	2. a	3. b	4. c	5. a

9課

1	1. b	2. a	3. b	4. a	5. b
2	1. a	2. c	3. c		
3	1. b	2. c	3. b	4. a	5. c
4	1. c	2. b	3. a	4. a	

5 1. b 2. b
1~5 1. b 2. a 3. b 4. b 5. c
6. c

10課

1 1. a 2. a 3. c
2 1. b 2. a 3. c
3 1. c 2. c 3. a
4 1. b 2. c 3. b
1~4 1. c 2. a 3. b 4. c 5. a
6. c 7. a

問題(1課～10課)

1	3	2	1	3	3	4	2	5	2
6	2	7	4	8	1	9	3	10	2
11	4	12	3	13	3	14	2	15	3

11課

1 1. c 2. b 3. a 4. b
2 1. c 2. a 3. b
3 1. a 2. c 3. a 4. b
4 1. a 2. c 3. a 4. b 5. a
5 1. a 2. a 3. b
1~5 1. a 2. b 3. c 4. b 5. c

12課

1 1. c 2. b 3. a 4. a
2 1. c 2. b 3. a 4. b
3 1. b 2. a
4 1. c 2. b 3. a 4. b
5 1. a 2. c 3. a 4. b
1~5 1. c 2. a 3. b 4. b 5. a

13課

1 1. c 2. a 3. a 4. b
2 1. c 2. b 3. c 4. a
3 1. b 2. a
4 1. c 2. a 3. b 4. b
5 1. a 2. a 3. b 4. b
1~5 1. c 2. a 3. c 4. a

14課

1 1. c 2. a 3. c
2 1. b 2. c 3. a
3 1. b 2. a 3. b
4 1. a 2. b 3. a
5 1. b 2. c 3. a 4. c
6 1. a 2. c 3. c
1~6 1. b 2. a 3. b 4. a 5. c

15課

1 1. b 2. a 3. a 4. c 5. c
2 1. a 2. b 3. a
3 1. c 2. b 3. c
4 1. c 2. b 3. c
5 1. b 2. a 3. c
6 1. a 2. c
1~6 1. c 2. a 3. b 4. a 5. b
6. c

問題(1課～15課)

1	4	2	2	3	3	4	2	5	1
6	4	7	3	8	4	9	1	10	3
11	3	12	2	13	1	14	1	15	2

16課

1 1. b 2. a 3. b 4. b 5. c
2 1. b 2. a 3. c
3 1. a 2. b 3. c 4. a
4 1. a 2. b 3. b 4. a
5 1. c 2. b 3. c
1~5 1. a 2. c 3. c 4. b 5. a

17課

1 1. a 2. c 3. b
2 1. a 2. b 3. c
3 1. b 2. c 3. a 4. a
4 1. c 2. a 3. c 4. c
5 1. b 2. a 3. b 4. a
1~5 1. c 2. b 3. c 4. a 5. b

18課

①	1. b	2. c	3. b	4. a	
②	1. a	2. a	3. c		
③	1. b	2. b	3. a		
④	1. b	2. a	3. a		
⑤	1. a	2. b	3. a	4. a	
⑥	1. b	2. c	3. b		
1~6	1. a	2. c	3. a	4. c	5. b

19課

①	1. b	2. c	3. b	4. a	
②	1. c	2. a	3. b		
③	1. b	2. a	3. c		
④	1. a	2. b	3. c		
⑤	1. c	2. a			
⑥	1. b	2. a			
1~6	1. b	2. c	3. c	4. a	5. b
	6. b	7. c	8. a		

20課

①	1. a	2. b	3. b	4. a	
②	1. a	2. c	3. b		
③	1. c	2. c	3. a		
④	1. b	2. b	3. a	4. c	
⑤	1. a	2. a	3. b	4. c	
⑥	1. a	2. b	3. a		
1~6	1. c	2. a	3. c	4. b	5. b

問題(1課~20課)

1	1	2	4	3	3	4	3	5	4
6	2	7	1	8	1	9	2	10	2
11	1	12	3	13	4	14	1	15	3

21課

①	1. a	2. b	3. a	
②	1. b	2. a	3. c	
③	1. a	2. c	3. b	4. a
④	1. a	2. b	3. c	
⑤	1. a	2. c	3. b	4. a
⑥	1. a	2. b	3. c	4. b
1~6	1. b	2. c	3. a	4. c	5. b

22課

①	1. b	2. a	3. c		
②	1. b	2. a	3. b	4. c	
③	1. b	2. a	3. c	4. a	
④	1. a	2. c	3. c		
⑤	1. c	2. a	3. b		
⑥	1. a	2. c			
1~6	1. a	2. b	3. b	4. a	5. c

23課

①	1. b				
②	1. a	2. c			
③	1. c	2. a	3. b	4. c	
④	1. a	2. b	3. c		
⑤	1. a	2. c	3. b	4. b	
⑥	1. a	2. a	3. b		
⑦	1. c	2. a	3. c		
1~7	1. b	2. a	3. c	4. a	5. c
	6. b				

24課

①	1. a	2. c			
②	1. b	2. a	3. c		
③	1. a	2. b	3. a	4. b	
④	1. a	2. c	3. b		
⑤	1. a	2. c	3. b	4. b	
⑥	1. a	2. c			
1~6	1. c	2. c	3. a	4. b	5. c
	6. a				

25課

①	1. b	2. a	3. c	4. b	
②	1. c	2. c	3. a	4. b	
③	1. a	2. a	3. b	4. c	
④	1. b	2. a	3. c		
⑤	1. b	2. c	3. a		
1~5	1. c	2. a	3. b	4. b	5. a

6. c

1 1. a   2. b   3. c
2 1. b   2. a   3. a   4. c
3 1. c   2. b   3. a   4. a
4 1. b   2. c
5 1. a   2. b   3. c   4. a
6 1. c   2. b   3. c
1〜6 1. b   2. a   3. a   4. c   5. b

問題(1課〜26課)

1	1	2	2	3	4	4	3	5	1
6	2	7	3	8	1	9	2	10	4
11	2	12	1	13	4	14	4	15	3

A

練習1
A 1. (を)めぐって   2. (に)際して
   3. (に)伴って   4. (に)わたって
   5. (に)限って   6. (に)沿って
   7. (を)通じて   8. (に)よって
B 1. (に)基づいた   2. (に)関して
   3. (に)先立って   4. (に)対して
   5. (に)応じて   6. (に)あたって
   7. (に)こたえて   8. (を)通して

B

練習1 A 1. a   2. e   3. d   4. c   5. b
     B 1. d   2. a   3. e   4. c   5. b
練習2 1. a   2. d   3. c   4. c   5. a

C

練習1 ①b   ②a   ③c   ④e   ⑤d
練習2 1. 立っているの   2. 見つからず
     3. 願わず   4. 変わる
     5. 思い   6. 伝える
     7. ある/あった   8. 言わざる
     9. 整い   10. 複雑である
     11. 散ってしまったの

12. する

D

練習1 1. 遊んだ   2. 見送る   入る
     3. 渡す   4. 残念な
     5. 思う   6. 寄ろう
     7. なれる   8. して
     9. 進んでいる/進んだ
     10. できない   11. 食べた   食べた
     12. 続く   13. いい
     14. 珍しい   15. やってみない
     16. 提出した   17. 食べる
     18. 楽な   19. 確かめる
     20. 変わる
練習2 1. こと   2. もの
     3. もの   4. こと
     5. もの   6. こと
     7. こと   8. もの
     9. こと   10. こと
     11. もの   12. こと
練習3 1. a   2. c   3. b   4. c   5. a
     6. d

E

練習1 1. a   2. d   3. b   4. c   5. b
     6. a
練習2 1. ところ   2. わけ
     3. どころ   4. ところ
     5. わけ   6. わけ

F

練習1 1. 重いというか暗いというか
     2. 頭が痛いだのおなかが痛いだの
     3. カーテンやら机やら
     4. 映画館で見るにしてもDVDで見るにしても
     5. 5分たったかたたないかのうちに／5分たつかたたないかのうちに
     6. 入ろうか入るまいか
練習2 1. さえ   2. のみ

3. まで　　　　4. ぐらい

5. など　　　　6. とは

7. として

G

練習1 1. a　　2. a　　3. a　　4. b　　5. b

6. b　　7. b　　8. b　　9. a　　10. a

11. b　12. a　13. a　14. a

第2部　文の文法2

1課

練習1 1 4　2 3　3 1　4 4

5 1　6 3　7 2　8 1

9 2　10 3　11 2　12 1

2課

練習1 1. a　　2. b　　3. a　　4. a　　5. a

6. a　　7. b　　8. a　　9. a　　10. b

11. b　12. b　13. a

練習2 1 4　2 3　3 1　4 1

5 4　6 2　7 3　8 3

9 3　10 1　11 3　12 2

3課

練習1 1 1　2 4　3 2　4 1

5 4　6 4　7 1　8 2

9 3　10 2　11 4　12 1

第3部　文章の文法

1課

練習1 1. b　　2. a　　3. a　　4. a　　5. b

6. b

練習2 ①b　　②b　　③a　　④a　　⑤a

⑥b　　⑦b　　⑧b　　⑨a

まとめ 1 2　2 3　3 1　4 4

5 1

2課

練習1

1. ①行う　　　　②来た

2. ①過ぎていた　②していた

③泊まった

3. ①起きていた　②降っていた

③感じた

4. ①あった　　　②乗る

③出ていた

5. ①帰った　　　②寝ていた

③読んでいた　④見た

⑤やっていた　⑥寝なかった

練習2

1. ①飼っていた　②見ている

③荒れた／荒れていた

④生えていて　⑤見ていた

⑥立っていた　⑦困った

2. ①寄せている　②使っていた

③できる　　　④遅れている

⑤増えている　⑥乗り出した

まとめ 1 2　2 2　3 1　4 2

5 3

3課

練習1 1.①a　　②b

2.①b　　②a

3.①b　　②c　　③a

4.①b　　②a

練習2 1.①a　　②b　　③a　　④a　　⑤a

2.①b　　②a　　③a　　④a

まとめ 1 4　2 1　3 2　4 3

5 2

4課

練習1 1.①b　　②a

2.①b　　②a

3.①a　　②b　　③a

4.①a ②a ③a ④b
5.①b ②a ③a
6.①a ②b ③a ④b
7.①a ②b ③a ④a ⑤b
⑥b ⑦b
8.①b ②b ③b

まとめ 1 4　2 1　3 2　4 2
5 3

5課

練習1 1.a　2.b　3.a　4.a　5.b
6.①a ②b　7.a　8.a　9.b
10.①a ②b

練習2 1.c　2.b　3.b　4.a　5.b

練習3 1.いった　　a
2.いって　　a
3.①きて　　②いった　　b
4.①いった　　②きた　　b
5.①きました　　②いきました
③きました　　④いく　　a

まとめ 1 1　2 3　3 1　4 2
5 3

6課

練習1 1.b　2.b　3.a　4.b　5.b
6.a　7.b　8.①a ②a ③b

練習2
1. ①思われて　②知って
③持たれ
2. ①させる／させた　②手伝わせて
③言われる　　④する
3. ①守られて　②出す
③集められて　④使った
⑤出される
4. ①させられた　②しかられて
③しかって　④言った
⑤怒らせた
5. ①囲まれて　②立てて
③営んで　④知られて
⑤思われる　⑥降る／降った

⑦含まれる／含まれている
⑧与える

まとめ 1 1　2 3　3 2　4 2
5 4

7課

練習1 1.a　2.a　3.b　4.b　5.a
6.a　7.①c ②a　8.①a ②c

練習2 1.①c ②b ③c ④a
2.①b ②c ③a
3.①b ②b ③c ④a
4.①c ②a ③a ④b
5.①b ②a ③c ④b ⑤a

まとめ 1 3　2 2　3 1　4 2
5 1

8課

練習1 1.a　2.a／b　3.a　4.a
5.b　6.b　7.b　8.b
9.①a ②a　10.①b ②b

練習2 ①c ②a ③b ④a ⑤a
⑥a ⑦c

まとめ 1 1　2 1　3 1　4 3
5 4

9課

練習1 1.が
2.は
3.①が ②が ③は
4.①は ②が ③が ④が
5.①が ②は ③が ④が
6.①が ②が
7.①が ②は ③が

練習2 1.①は ②が ③が ④は
2.①は ②が ③は ④が ⑤が
⑥が ⑦は
3.①は ②が／は ③が ④は
4.①が ②は ③は ④が ⑤が
⑥が ⑦が
5.①が ②は ③が ④が ⑤は

8

⑥が　　⑦は　　⑧が

まとめ　1　2　　2　1　　3　2　　4　2

5　2

10課

練習1　1.①b　　②c

2.①a　　②c

3.①c　　②c

4.①b　　②a　　③b　　④c

練習2

1.　①すると　　　　②なぜなら

2.　①そこで　　　　②一方（いっぽう）

③こうして

まとめ　1　4　　2　3　　3　1　　4　2

5　3

11課

練習1　1.（仕事（しごと）と生活（せいかつ）の）

2.（サイレンは）

3.省略（しょうりゃく）できない・（豆腐（とうふ）を）崩（くず）します

4.（この番組（ばんぐみ）を）

5.省略（しょうりゃく）できない

6.省略（しょうりゃく）できない

7.（わたしが住（す）んでいる所（ところ）は）・省略（しょうりゃく）できない

練習2

1.　①わたし　　　　②山田（やまだ）さん

③山田（やまだ）さん　　④スイス

⑤わたし　　　　⑥いとこ

⑦いとこ　　　　⑧いとこ

2.　①「コピーアンドペースト（コピペ）」という言葉（ことば）

②ほかの人（ひと）

③「コピーアンドペースト（コピペ）」という言葉（ことば）

④大学（だいがく）の先生（せんせい）たち　⑤コピペ論文（ろんぶん）

⑥不正（ふせい）なコピペが行（おこな）われていないかどうかを調（しら）べるソフト

まとめ　1　1　　2　3　　3　3　　4　4

5　2

12課

練習1　1.①a　　②a

2.①b　　②b　　③b

3.①b　　②a　　③b

4.①a　　②b　　③b

5.①a　　②b

練習2　解答例（かいとうれい）

1.　①行（おこな）った　　②報告（ほうこく）する

③なぜ　　　　　④という

⑤ため　　　　　⑥といった／などの

2.　①により／のため　②の話（はなし）では／によると

③であれば　　　④決（き）まり次第（しだい）

まとめ　1　4　　2　2　　3　1　　4　1

5　3

模擬試験（もぎしけん）

第1回

問題1　1　2　　2　2　　3　1　　4　1

5　3　　6　1　　7　4　　8　3

9　4　　10　1　　11　2　　12　3

問題2　13　1　　14　4　　15　3　　16　1

17　2

問題3　18　3　　19　1　　20　2　　21　3

22　1

第2回

問題1　1　4　　2　3　　3　2　　4　3

5　1　　6　4　　7　3　　8　4

9　3　　10　4　　11　2　　12　1

問題2　13　3　　14　4　　15　1　　16　2

17　3

問題3　18　3　　19　4　　20　1　　21　3

22　2